D1097805

LA 317ᵉ SECTION

Pierre Schoendoerffer

LA 317ᵉ SECTION

roman

ROBERT LAFFONT

Toute ressemblance avec des personnages vivants serait purement fortuite car les hommes qui ont inspiré cette histoire sont morts.

© La Table Ronde/Robert Laffont, 2004.

ISBN : 2-221-10233-9

Les femmes ne savent rien de ce qu'il y a de grand et de redoutable dans l'homme. Comment le sauraient-elles? Elles ont une démarche assurée, elles franchissent les portes les premières et sont saluées par tous. Mais ici il ne s'agit pas de l'ordre des choses, mais d'un tout autre problème. C'est tout à fait comme l'arbre qui, parce qu'il sait que la bête ne le mangera pas, la tient pour édentée. Les femmes, elles, voient nos dos voûtés, nos lunettes, elles nous voient penchés sur nos dossiers, elles nous voient trop jeunes ou trop vieux, elles nous voient nous baisser avec peine, elles nous voient en chômage, désorientés dans ce monde, elles nous voient ouvrir leurs portes et sourire, elles nous voient proches et épais. Rien, elles ne savent rien!

Joachim Fernau

Rapport du Capitaine Pax sur ce qu'il y a de grand et de redoutable dans l'homme.

Dimanche 26 avril 1953, 17 h 30.

Dans le fracas de l'explosion, le disjoncteur, le générateur électrique et la base de la grande antenne de bambou volent en éclats. Encore soutenue par ses haubans, l'antenne oscille dans la fumée, se casse en deux et lentement s'effondre sur une des palissades de rondins qui défendent le poste.

— Les vaches... foutre tout mon bordel en l'air!

Consterné, Perrin se gratte les fesses. A ses côtés le sergent Ba Kut contemple avec satisfaction son œuvre de dynamiteur.

— Ça va... bordel beaucoup casser c'est bon.

Perrin se contracte un peu et lâche un long pet bien modulé. Son visage se plisse dans un sourire heureux.

— Broum! Mortier!

Il éclate de rire et redresse d'un coup de pouce son chapeau de brousse crasseux dont les bords sont roulés comme celui d'un cow-boy.

— Les vaches!

Les deux mains dans les poches, il s'éloigne sous la pluie en sifflotant le chant des Marines.

Il pleut, depuis des jours et des jours, une pluie lourde et tiède qui dissout le Nord Laos tout entier dans une brume grise. Le vent humide apporte jusqu'au poste de Luong Ba une odeur de mousse et d'écorce mouillée, alourdie par moments d'un relent de végétation pourrissante.

Il fait très sombre. Enfoncé dans la boue grasse de la cour, le sous-lieutenant Torrens, tête nue, rentre les couleurs. En face de lui, derrière l'adjudant Willsdorff raide comme un Prussien, le 1er groupe de la 317e section locale supplétive, aligné sur deux rangs, présente les armes. Les hommes dispersés un peu partout, qui mettaient une dernière main aux préparatifs de départ, se sont redressés et figés au garde-à-vous. Perrin a cessé de siffler. Agglutinées à la chicane des barbelés de l'entrée du poste, quelques femmes attendent. L'une d'elles porte à cheval sur sa hanche un tout petit garçon aux yeux immenses qui a l'air d'un chat mouillé. Le drapeau français flasque et détrempé hésite, glisse lentement le long du mât et s'accroche parfois aux aspérités du bois. La poulie grince dans le silence rendu plus sensible par le clapotement monotone de la pluie frappant le toit de chaume des baraquements et, montant de la vallée, par le roulement du torrent grossi par la mousson.

Le drapeau est presque à portée de main de Torrens quand une série de coups de feu résonnent dans le lointain. Tous les hommes, même ceux du piquet d'honneur, se tournent vers le Sud, vers le col qu'emprunte la piste de Tao Tsaï.

— C'est Routier qui accroche.

Willsdorff a fait un pas en avant, il donne rapidement l'ordre à un caporal de faire reposer les armes. Torrens détache le drapeau, le plie, le met tout mouillé dans une poche de son treillis et rejoint l'adjudant.

— Il a dû tomber dans une embuscade.

Grâce à une éclaircie ils peuvent voir les lueurs roses des balles traçantes et les explosions des grenades. Willsdorff déboutonne sa veste de treillis et prend ses jumelles qu'il porte, comme les soldats allemands, haut sur la poitrine, à même la peau, retenues autour du cou par une courroie très courte. Il observe un moment le col puis essuie les lentilles couvertes de gouttes de pluie et tend les jumelles à Torrens.

— Ça ne toit pas être sérieux. Regartez toutes les traçantes vont tans la même tirection. Les autres ne répontent pas. Routier a tû tomber sur un ou teux rombiers en éclaireurs et c'est tout.

Willsdorff a parlé avec un fort accent alsacien. C'est un colosse brun, à la nuque rasée, au visage massif et buriné, sec comme tous les coureurs de brousse. A côté de lui, Torrens, grand garçon timide et dégingandé de vingt-deux ans, aux hanches étroites, aux joues roses, à la coiffure en brosse de Saint-Cyrien, semble presque fragile.

— Je trouve que pour un ou deux éclaireurs Roudier tiraille beaucoup.

— Ses rombiers sont un peu nerveux... le Chinois qui est parti hier... et puis les teux Méo, ce matin qui tisaient que tans le Nord te la Nam La y a tes Viets en pagaille... alors.

Le tir perd de son intensité et on n'entend plus que quelques coups de feu isolés. Torrens réussit à allumer une cigarette malgré la pluie en la protégeant dans le creux de sa main. Il tire une bouffée.

– Oui, vous avez raison... on va quand même se dépêcher. Ba Kut! Rassemblez les deux groupes. Départ dans cinq minutes. Et venez nous rejoindre avec les caporaux.

A l'abri de l'auvent de chaume de la tour de guet, un réfrigérateur à pétrole ficelé sur un bambou sert de table à Perrin. A côté des carabines de Torrens et de Willsdorff, il dépose une bouteille de Pernod aux trois quarts pleine, une autre de cognac presque vide et quelques verres.

– C'est tout ce qui reste, mon lieutenant, et y'a plus de glace. J'ai débranché le frigo pour l'empaqueter il y a une heure, elle a déjà fondu.

Willsdorff soupèse la bouteille de cognac et se tourne vers Torrens.

– Vous en voulez?

Torrens fait signe que non.

– Perrin, tu transvases ça tans une petite bouteille et tu le tonnes à l'infirmier, c'est bon sur la piste quand on est fatigué.

Torrens sert le Pernod dans les verres. Un à un les caporaux laotiens et Ba Kut arrivent en s'ébrouant, le fusil ou la mitraillette à l'épaule, crosse en l'air pour éviter que la pluie n'entre dans le canon. Un dernier coup de feu claque sur le col et son écho étouffé par la brume s'éteint doucement dans la vallée.

– Eh! bien voilà... A la santé de Luong Ba...

Chacun boit une gorgée. Perrin soupire.

– Ah les vaches! Ils ont buté Gégène.

Son verre à la main, Torrens reprend :

– O.K. L'ordre de progression est le suivant : en tête le groupe de commandement suivi par vous, Ba Kut. Quand on aura rejoint Roudier, il s'intercalera entre nous. Consignes particulières : armes approvisionnées mais non armées. Silence complet. Interdiction d'allumer une cigarette. Vu ?

Les caporaux hochent la tête et boivent une gorgée de Pernod.

— Oui, chef, répond Ba Kut. — Du pied il désigne le réfrigérateur. — C'est moyen porter bordel. Pas bon laisser Viet-Minh.

— Je ne sais pas... c'est encombrant... Qu'en pensez-vous Willsdorff ?

Perrin ne laisse pas à l'adjudant le temps de répondre.

— Y ne pèse pas plus que mon poste radio, mon lieutenant, ct je l'ai brêlé sur un bambou, comme ça c'est facile à porter, regardez...

Il soulève une des extrémités du colis pour justifier ses dires.

— Il est bath, on l'a eu en mars, enfin, pour Noël, quoi. C'est vache de leur laisser.

Les caporaux laotiens font choi us.

— C'est porter comme ça le Pernod toujours froid.

Willsdorff sourit.

— On peut toujours essayer. On y tient. C'est un bon souvenir. Il est arrivé un mois avant vous... vous savez, le « Noël tu soltat ». Le truc organisé par la femme au général te Lattre.

— O.K. Eh bien d'accord. Ba Kut, vous désignerez deux hommes de votre groupe pour le prendre.

Torrens ramasse sa carabine sur le réfrigérateur et la met à la bretelle. Les caporaux se précipitent en criant pour rassembler les supplétifs laotiens qui ont cherché refuge contre la pluie en s'adossant aux blockhaus de rondins. Willsdorff s'écarte de quelques pas, hors de

13

l'abri de l'auvent et contemple avec mélancolie la cour boueuse du poste, les hommes qui s'alignent sur deux rangs au pied du mât vide, le groupe désolé des femmes du village près des barbelés et, plus loin, la montagne grise à moitié mangée par les nuages bas. Il lève son verre, le vide d'un trait et le lance violemment contre le mur de la tour où il se brise en morceaux.

– Bon. Allons-y.

Les vingt-six supplétifs attendent ruisselants, engoncés dans de vieux ponchos délavés de l'armée américaine trop grands pour eux. Leurs sacs forment une grosse bosse dans le dos. Certains fument et se repassent leurs dernières cigarettes en les protégeant sous leurs paumes. Ba Kut annonce tranquillement :

– Ça va, chef, moyen foutu le camp.

Torrens approuve d'un coup de tête mais Willsdorff ricane.

– Tu crois ça, toi.

Il inspecte les deux groupes et s'arrête derrière un supplétif dont la bosse, plus grosse que les autres, est agitée de soubresauts.

– Alors, Xoung? Qu'est-ce que tu caches là tessous, hein?

Xoung se retourne, c'est un jeune garçon au visage mobile, tout grêle de petite vérole. Il essaye de sourire.

– Chef, c'est femme là-bas, faire cadeau pour moi.

– Bon! Eh bien, pour tout le monte, sac à terre : revue te paquetage.

Pendant que les supplétifs se tortillent pour retirer leurs sacs sans enlever leurs ponchos, l'adjudant explique à Torrens :

– Ils sont chargés comme tes brêles. Ils ne feraient pas teux kilomètres. J'espère que Routier a pensé à vérifier ceux te ses treize rombiers...

Sous l'auvent de la tour, Perrin s'amuse encore à casser les verres et les deux bouteilles vides.

– Perrin! t'as entendu : revue te paquetage. Ça joue pour toi aussi.

Les supplétifs ont déposé leurs vieux sacs effrangés à leurs pieds. Ils rient aux éclats quand le poulet que cachait Xoung s'échappe en battant des ailes et caquette furieusement.

– Bon, maintenant vous allez jeter vous-mêmes tout le bortel qui n'est pas réglementaire. Compris... On a une longue marche à faire.

Les supplétifs s'accroupissent devant leurs sacs et retirent l'un après l'autre les petits trésors qu'ils ont pu accumuler pendant leur séjour à Luong Ba et les abandonnent dans la boue : vieilles couvertures bariolées, casseroles cabossées, bouteilles pleines d'étranges liquides, guitares faites dans des bidons d'huile...

Dimanche 26 avril 1953, 20 h 15.

— On ne doit plus être très loin du col ?

Willsdorff grogne un acquiescement.

Il pleut. Dans la nuit traîne le piétinement sourd de la colonne qui parfois se profile en ombre chinoise sur le ciel plus clair. Des branches craquent.

— Tirez pas ! C'est moi... Roudier.

La colonne s'arrête. Soulagés, les supplétifs s'interpellent.

— Silence !... Où est l'adjudant ?

— On est là. Qu'est-ce qu'il t'est arrivé ?

— Mes types sont nerveux. J'avais peur qu'ils vous tirent dessus, alors... je suis venu à votre rencontre.

— Oui. Mais tout à l'heure, cette pétarade ? Qu'est-ce qu'il s'est passé ?

— Ba Phalong, le voltigeur de pointe, est tombé sur des rombiers en haut du col. Il dit qu'il y en avait beaucoup. Moi je crois en avoir vu deux ou trois. On en a tué un. Un régulier... Vous voulez le voir ?

— Vos Viets. Où sont-ils passés ? Ils bloquent toujours la piste ?

— Ils ont éclaté dans la nature. J'ai patrouillé la jungle sur plus de cent mètres de profondeur. Rien trouvé. Ils ont dû se barrer.

— Bon. Alors, ton rombier ?

— Il est là... un peu plus haut.

Avec des piétinements, des raclements, des chocs métalliques, la colonne se remet en marche.

— C'est là.

Roudier s'écarte un peu de la piste, entraînant avec lui Willsdorff et Torrens. Il s'accroupit en faisant crisser les broussailles derrière lui, fouille dans sa poche et sort une torche électrique.

— Je vous l'éclaire ?... Y a pas de danger, je crois.

— Oui, allez-y.

Dans le faisceau de la lampe, le cadavre du soldat Viet-Minh apparaît recroquevillé contre un arbre. Un des bras fait un angle anormal avec le torse. Une grosse blessure au cou laisse voir, au milieu de caillots de sang noir, des tendons jaunâtres délavés par la pluie. Des fourmis rouges grouillent autour et repartent en procession tirant dans leurs pinces des lambeaux de chair. Le casque de latanier recouvert de toile de parachute a roulé dans les fougères !

— Il a reçu une bonne giclée. Oui... c'est un régulier.

Le casque, l'uniforme vert, le boudin de riz réglementaire ne laissent aucun doute.

— Il avait tes papiers ? une arme ? demande Willsdorff.

— Je ne sais pas... on n'a rien trouvé... juste un gri-gri, un sachet d'étoffe autour du cou, avec une poudre et un petit Bouddha dedans... Ils ont dû récupérer le reste.

Roudier éteint sa lampe et la nuit semble tout à coup plus noire. Torrens s'éloigne en tâtonnant pour retrouver la piste.

— En route pour Pak La.

Lundi 27 avril 1953, 05 h 30.

Il pleut. Complètement trempé malgré sa toile de tente, Torrens se lève grelottant. Il trébuche en essayant de réchauffer ses muscles contractés. Les silhouettes des sentinelles surprises se retournent un instant vers lui avant de reprendre leur immobilité.

Il fait encore nuit mais Torrens distingue déjà çà et là la masse des hommes couchés en chien de fusil sous leurs toiles de tente, serrés les uns contre les autres pour se tenir chaud. Dissimulé dans les broussailles, le réfrigérateur laisse deviner sa forme blanche. Les trois sentinelles pétrifiées dans leurs ponchos essayent de protéger leurs armes de l'eau et de la boue. Le silence de la jungle noire n'est troublé que par le ruissellement de millions de petites gouttes de pluie sur le feuillage des arbres et, loin en contrebas, par le grondement diffus de la Nam La.

– Ça va ?...

Sans bruit Willsdorff et Ba Kut drapés dans leurs ponchos rejoignent le sous-lieutenant qui se brosse les dents et se rince la bouche avec l'eau de son bidon.

– ... Tans quelques minutes, il va faire clair, l'aube c'est toujours très brutal ici.

Instinctivement l'adjudant a parlé à voix basse et Torrens répond sur le même ton :

– Y a de quoi crever. Moi, je donnerais cher pour pouvoir allumer une cigarette... Quel pays !...

– Ça c'est vrai, quel pays !

Willsdorff sourit, mais, dans l'obscurité, son sourire découvrant ses dents a l'air d'un ricanement.

– Vous pouvez pas savoir. Il y a quinze jours que vous êtes là... Moi, je l'aime bien ce pays. A ce ternier séjour, au lieu te vingt-sept mois j'ai réussi à en tirer trente-trois et je n'ai aucune envie te rentrer en France. Ils vont m'y renvoyer. C'est obligé. On n'a pas le troit te rester plus te vingt-sept mois ! Mais putain ! ça m'embête trôlement. Qu'est-ce que je vais faire en France ? La caserne ! Et puis les rombiers t'ici me plaisent. Bien sûr ils n'aiment pas travailler, mais moi non plus je n'aime pas travailler tant que ça...

Torrens, absent, effrite une cigarette détrempée et en jette les débris. Une gouttière s'est formée sur le bord avachi de son chapeau de brousse et l'eau lui dégouline dans le dos. Il remonte le col de sa veste et sent un contact lisse et froid. D'un geste nerveux il arrache une sangsue noire grosse comme le pouce, qui frétille et lui glisse entre les doigts. Écœuré, il se palpe la nuque sans en trouver d'autres. Un filet de sang tiède lui coule dans le cou et tache son treillis. Willsdorff, immobile sous la pluie, continue son monologue mélancolique.

– Vous verrez, quand vous aurez terminé votre séjour, ça vous fera quelque chose. Parce que la France, quand on est loin, c'est beau : le printemps, les cigognes sur le clocher tes églises, les filles en robe claire et tout quoi ; mais quand on y est, on sait bien ce que c'est... Voyez, quand j'étais chef tu poste – avant que vous arriviez – je pensais souvent : avec ma retraite, je vais acheter une paillote sur la rivière. J'aurais gardé ma carabine pour la chasse. A la guerre c'est pas une arme terrible, pas beaucoup te puissance te choc ; j'ai vu, à Tuyen Quang, en 47, à la colonne C, j'ai vu un rombier cavaler avec trois balles tans la paillasse, peut-être quatre, comme un zèbre il cavalait. Mais pour la chasse, c'est rigolo. Oui... Ba Kut me choisirait une fille, je me marierais. Elles sont jolies les filles ici. Elles n'ont pas te... On tirait tes gamines, pas te poils. Une peau... une peau... élastique et pas te poils.

Torrens bâille et sort une autre cigarette de sa poche.

– Je crois qu'il fait assez jour pour en allumer une maintenant.

Insensiblement la nuit s'est estompée en une aube grise et les deux hommes voient se dessiner à leurs pieds la vallée de la Nam La, sombre et désolée sous le ciel bas.

La cigarette est humide avec des taches brunes de tabac. Torrens l'abrite sous sa paume pour la protéger des gouttes, tourne le dos à la vallée et dissimule la flamme de son briquet sous sa veste. Avec avidité il tire deux longues bouffées.

– Chef, c'est beaucoup les types dans la Nam La. Je crois Viet-Minh.

Ba Kut montre du doigt le gué de Pak La. Willsdorff suit des yeux le tracé de la grande piste dans la jungle. Elle coupe la rivière à l'endroit où celle-ci est le plus large. Quelque chose bouge sur la berge, dans la pluie qui brouille les lointains. L'adjudant plisse les yeux pour mieux voir. Quelque chose bouge qui disparaît parfois derrière l'écran des arbres.

23

– Oui, tu as raison. Attends.

Rapidement il tire ses jumelles de son poncho. Dans la perspective déformée par le grossissement, un homme semble piétiner sur place contre une muraille d'eau. Il porte un casque et quelque chose à l'épaule. Sans doute son arme.

– Il m'a l'air bien peinard ce rombier-là. Ma parole il se croit chez lui. Oh, mais attention, il y en a teux autres sur la rive t'en face qui remontent la piste.

Il tend ses jumelles à Ba Kut et se tourne vers Torrens qui observe le gué.

– J'ai jamais vu ça. Avec un Garant à lunette on pourrait se les payer.

Tout excité, sa mauvaise humeur envolée, le jeune sous-lieutenant jette sa cigarette.

– Ça serait dommage, on va essayer d'en attraper un.

Le jour glauque a réveillé les supplétifs. Ils s'étirent dans leurs treillis mouillés et font jouer les culasses de leurs armes pour s'assurer de leur bon fonctionnement. Roudier, un grand type osseux de vingt-huit ans au regard triste, s'est rapproché silencieusement. Torrens qui n'a pas cessé d'observer le gué rallume une cigarette.

– O.K., on va y aller...

Ses yeux pétillent de joie.

– On va piquer « schuss » sur la Nam La à travers la brousse. Roudier, vous vous étalerez le long de la piste en flanc-garde. Nous, on sera en position à votre gauche sur le bord de la rivière pour bloquer le gué. On ne rattrapera pas ces pékins-là mais on en aura d'autres, le coin a l'air fréquenté. Ba Kut, vous restez ici en recueil. Je vous laisse le frigidaire et Perrin.

24

Qu'il installe son poste. Il a une vacation radio à huit heures avec Tao Tsaï... Voilà. C'est tout.

Il se tourne vers l'adjudant, cherchant une approbation.

– D'accord ?

Willsdorff, les sourcils froncés, hésite un moment.

– Oui, t'accord, mais faut... Routier tu envoies ta voltige bien tevant. On ne sait pas ce qu'on va trouver en bas, hein ! Alors pas te connerie.

Roudier toujours silencieux approuve. Torrens souriant regarde un moment sa cigarette éteinte dont le papier détrempé par la pluie se déchire et il la jette.

– O.K. On y va.

Lundi 27 avril 1953, 08 h 15.

Un oiseau pousse un cri étrange, puis un deuxième, d'autres lui répondent. Des singes se promènent dans les bambous en cassant des branches et en piaillant. La pluie a cessé mais les grands arbres encore dégoulinants d'eau semblent baigner dans un brouillard gris. Torrens et Willsdorff sont allongés dans l'humus spongieux de la rive, derrière un boqueteau de bambous, une quinzaine de mètres en aval du gué. Dans les interstices des branches, ils voient la Nam La déserte qui roule ses eaux jaunes. A leur droite, calé contre un arbre mort, le fusil-mitrailleur du groupe est en batterie. Le servant, allongé sur le dos, mâchonne une brindille. Le pourvoyeur a disposé ses boîte-chargeurs de réserve sur son sac, à portée de sa main.

La forêt silencieuse recommence doucement à vivre et à bruire : dans la jungle, une troupe en mouvement est toujours au centre d'une nappe de silence qui se déplace avec elle. Les bêtes troublées par une présence inhabituelle se terrent et atttendent. Si les hommes s'arrêtent et ne font pas de bruit, la vie secrète reprend progressivement et mille frottements, mille souffles suspendus avec inquiétude renaissent.

Torrens, un peu contracté, par l'attente ne cesse de contrôler le mécanisme de sa carabine, jouant du levier d'armement avec précaution pour ne pas le faire claquer. La petite morsure de sangsue continue à saigner, imprégnant le col de sa veste et, comme il a dû se frotter plusieurs fois, sa nuque est toute barbouillée de rouge.

Insensiblement le silence est revenu...

Le premier à s'en rendre compte est le servant du fusil-mitrailleur. Il crache sa brindille, reste un moment immobile, puis roule sur lui-même pour se placer derrière son arme en chuchotant.

– Viet-Minh! Viet-Minh!

Torrens cesse de tripoter la culasse de sa carabine.

– Je crois qu'en voilà.

Willsdorff a parlé dans un souffle à peine audible, comme s'il avait peur de troubler le silence. Il sort de son sac deux grenades quadrillées qu'il accroche par les cuillers aux poches de sa veste. Le gué est désert.

Torrens se ronge le pouce, l'ongle mordu trop ras déchire un peu la peau qui se met à saigner. Le gué est toujours désert.

Torrens suce le sang qui suinte. Il ne peut s'empêcher de mordiller les peaux mortes et les recrache comme des pépins.

Une demi-douzaine de soldats débouchent enfin dans l'espace dégagé de la piste sur l'autre rive. Ils marchent sans ordre, par petits groupes, le fusil à la bretelle ou sur l'épaule et s'arrêtent au bord de l'eau. Ils sont suivis d'une longue file de coolies poussant à côté d'eux des bicyclettes sur lesquelles sont arrimées d'énormes charges.

28

– Merte! Un convoi te ravitaillement... murmure Willsdorff.

Torrens répond par un clin d'œil en essuyant sur sa poitrine ses mains moites de transpiration.

Les coolies se sont arrêtés sur la rive près des soldats et une quinzaine d'entre eux discutent avec animation en montrant le courant. Derrière leurs bambous, Torrens et Willsdorff entendent quelques éclats de voix.

– Qu'ils traversent, mon Dieu, qu'ils traversent... N'ayez pas peur! supplie Torrens à voix basse en suçant le sang de son pouce.

Un des soldats pénètre prudemment dans la rivière et s'arrête en son milieu. L'eau lui arrive à peine au-dessus des genoux, il se retourne et fait de grands signes. Un coolie ramasse sa bicyclette et, aidé d'un soldat, commence la traversée. Les autres les regardent partir et se décident à leur tour.

– C'est formidable!

Torrens a du mal à contenir sa joie. Il se retourne vers le tireur F.M. et de la main fait un geste pour le calmer. Le doigt sur la gâchette, l'œil sur la ligne de mire, le Laotien hoche imperceptiblement la tête.

Le premier coolie et sa bicyclette sont presque arrivés sur la berge. Au milieu de la rivière, un soldat chantonne et remonte le courant de quelques pas pour remplir d'eau le récipient de bambou qu'il portait à sa ceinture.

Willsdorff a dégoupillé une grenade. Lentement, Torrens se lève, tenant sa carabine d'une main, il calme encore de l'autre le tireur F.M.

– Feu!

Il accompagne son hurlement d'un grand geste de son bras libre. Toutes les armes du groupe tirent en même temps, le fracas est assourdissant. En quelques secondes la colonne de coolies et de soldats se disloque. Les corps tombent au milieu des impacts de balles et des explosions de grenades qui soulèvent des gerbes d'eau. Les bicyclettes, les cadavres et les blessés sont entraînés par le courant et défilent devant les supplétifs en embuscade. Quelques survivants s'agglutinent contre les berges. Trois soldats ont pu se réfugier derrière un rocher et essayent de riposter, mais les rafales du fusil-mitrailleur les clouent dans l'eau.

Sur la piste, de l'autre côté de la rivière, la colonne de coolies s'est immédiatement dispersée sous le tir des grenades à fusil et on ne voit plus sur la rive que des bicyclettes abandonnées. De la jungle partent quelques coups de feu isolés, puis des rafales de mitrailleuses bien ajustées qui font voler la terre près du fusil-mitrailleur. Il n'y a pas une minute que tout a commencé.

– Joli coup, mais faut foutre le camp maintenant. Vite !

Willsdorff s'est fait pressant, mais Torrens, encore excité par le combat, ne l'a pas remarqué.

– On a une sacrée chance, hein ! Attendez, on va essayer de leur liquider leur mitrailleuse.

Il part en hurlant :

– Lance-patate ! Lance-patate !

– Ici, chef !

Le supplétif tenant son tromblon V.B. [1] à deux mains est en position, camouflé derrière un amas de troncs pourris à quelques mètres de l'eau. Torrens se jette à ses côtés. Le deuxième grenadier, haletant, leur tombe

_____

1. V.B. : Tromblon Vivien Bessière mis au bout du canon du fusil pour lancer des grenades à l'aide d'une cartouche spéciale.

dessus comme une masse au moment où une rafale de la mitrailleuse cisaille les bambous tout proches.

– Tu vois ce gros arbre au bout de la piste...

Torrens a relevé un peu la tête et montre la rive où sont entassées les bicyclettes.

– A une main gauche, il y a un gros taillis. Vu?

– Connaître, chef.

– O.K. Tirez-moi là-dedans. Hausse cent mètres et pour toi soixante-quinze mètres.

Les deux supplétifs enfilent leurs grenades noires à nez jaunes sur le canon de leur fusil, visent et tirent. Torrens suit des yeux la courbe des deux projectiles. L'un, un peu court, tombe sur la rive en soulevant un paquet de boue et de cailloux; l'autre, trop à gauche, éclate sur un arbre et fauche des branches.

– O.K. Hausse à cent mètres pour tous les deux. Un peu moins à gauche.

– Il faut técrocher...

Willsdorff, accroupi derrière le lieutenant, revient à la charge.

– ...Vous ne comprenez tonc pas. On est tombé au milieu te l'offensive. Les bataillons ont tû passer cette nuit. Ils vont nous arriver tessus.

Deux nouvelles grenades partent. Torrens se détourne un moment pour suivre leur course.

– Laissez-moi d'abord en... Bien! Très bien!

Les deux grenades ont explosé à côté du taillis, mais la mitrailleuse continue à tirer.

– Allez-y encore une fois, même hausse... d'abord en terminer avec cette mitrailleuse... elle a la vie dure.

– C'est te la folie! Il faut foutre le camp. Putain! Pentant qu'on peut encore.

Willsdorff se fâche, mais le départ de deux nouvelles

31

grenades lui coupe la parole. Il ne peut s'empêcher d'en suivre les trajectoires.

— Y a tes Viets en pagaille autour te nous. Ils vont nous liquiter...

Les deux explosions encadrent le taillis. La mitrailleuse s'arrête.

— ... Vous croyez pas que leur ravitaillement est en tête! Non! On n'a plus rien à gagner ici. C'est te la connerie!

Torrens tout à son duel avec la mitrailleuse est brutalement ramené à une vision plus générale des événements par la véhémence de l'adjudant.

— O.K. On va se replier en tiroir... Allez prévenir Roudier.

Des hurlements sauvages et des coups de feu éclatent à leur droite.

— Trop tard, ils sont sur la piste. Ils vont nous acculer à la flotte, crie Willsdorff avant de partir.

En quelques secondes l'intensité du tir atteint son paroxysme. La jungle est tellement serrée qu'on ne voit rien à quinze mètres. Sanglants et titubants, soutenus par des camarades, les deux premiers blessés de Roudier paraissent. De l'autre côté de la rivière, la mitrailleuse se remet à tirer. Au milieu des rafales on entend le « pouf » caractéristique des départs de mortier. Un, deux, trois, quatre. Quelques secondes après quatre énormes explosions ébranlent la forêt et font voltiger des branches d'arbre. Un supplétif est éventré par un éclat. Il s'assoit par terre, hébété, en vomissant du sang avec des gargouillements et lentement s'effondre dans ses déjections. Pendant que Torrens dispose ses hommes face à la fusillade, les deux blessés de Roudier et les supplétifs qui les soutenaient se sont affalés contre un arbre. D'un bond, le sous-lieutenant est sur eux.

– Qu'est-ce que vous fichez là ? Dépêchez-vous de rejoindre Ba Kut.

D'autres blessés arrivent, l'un d'eux est traîné par le col de sa veste. Il a la jambe déchiquetée par une grenade. Le crépitement nerveux des pistolets-mitrailleurs se rapproche. Quatre obus de mortier explosent encore. Un tout jeune supplétif s'accroupit derrière un arbre en pleurant.

– Moi c'est blessé.

Il a été légèrement talladé à l'épaule par un éclat, mais, affolé, il détourne la tête et n'ose pas regarder son sang. Torrens le renvoie vers Ba Kut avec les autres.

On entend maintenant distinctement les cris des hommes de Roudier.

– A droite attention !

– Le F.M. Vite !

Et la grosse voix de Willsdorff.

– Tes grenates. Bon Tieu. Tes grenates...

Les silhouettes bondissant entre les arbres apparaissent enfin.

– Décrochez, Roudier ! Décrochez ! On est là, hurle Torrens.

Au pas de course les survivants passent entre les supplétifs du lieutenant embusqué dans les taillis.

Willsdorff et Roudier sont encore à dix mètres quand le sergent trébuche et s'effondre les deux poings au ventre. Willsdorff arrache le fusil-mitrailleur des mains du tireur qui court à côté de lui, se retourne et à l'épaulée, vide avec précision le chargeur sur la brousse environnante. Profitant de la diversion, Roudier se relève et part courbé en deux.

– Qu'est-ce que vous avez ?

– Balle dans le ventre...

Le ton de Roudier est rauque, haché.

— ... Attention, mon lieutenant... ils essayent de nous déborder.

— Vous pouvez aller jusque chez Ba Kut... comme ça ?

— Oui.

— Dépêchez-vous.

Willsdorff a gardé le fusil-mitrailleur.

— Teux F.M. c'est meilleur.

Le groupe de Torrens fait un violent tir de barrage. Toutes les armes crachent en même temps. On voit à peine les silhouettes des Viets dans la jungle, mais on entend leurs cris.

— Un bond de cinquante mètres en arrière! hurle Torrens... et on recommence.

Les supplétifs foncent comme des buffles à travers les broussailles et se regroupent. Nouveau tir de barrage.

— Attention aux munitions. Tirez pas comme tes cons.

Cinquante mètres par cinquante mètres, l'arrière-garde se replie vers le piton que tient Ba Kut.

Lundi 27 avril 1953, 09 h 45.

Les premiers blessés de l'accrochage arrivent sur le piton de recueil. Enfoncés dans leurs trous de combat, les hommes de Ba Kut les regardent passer. Boueux, sanglants, ils arrivent soutenus ou traînés par leurs camarades essoufflés et vont s'effondrer dans un coin, sans un mot.

De la vallée monte le crépitement des pistolets-mitrailleurs et les rafales plus lourdes des F.M. Par salves de quatre, le tir de mortier a suivi la retraite, mais les obus tombent trop à droite pour être dangereux. D'autres supplétifs apparaissent haletants, tendus, bardés des armes des blessés et des morts. Roudier les suit, le visage blafard, courbé en deux, il a la force d'aller jusqu'au sommet avant de se rouler par terre, les genoux au menton, pour vomir.

Le fusil-mitrailleur de Ba Kut lâche quelques courtes rafales pour couvrir l'arrière-garde, talonnée par les Viets, qui patine dans la glaise en escaladant les derniers mètres du piton.

— Tieu soit loué, t'as fait creuser tes trous.

Willsdorff gagne l'abri de la crête, il essuie avec son avant-bras la sueur qui lui coule dans les yeux.

— Fais gaffe à troite. Ils veulent nous téborter.

Ba Kut hoche la tête. La fusillade est générale maintenant. Toutes les armes du groupe balayent la pente de leurs balles.

— Il faut tenir un peu... le temps de voir les blessés et de s'organiser pour le décrochage.

Torrens s'est forcé à parler lentement. Willsdorff qui l'observe avec attention devine tout l'effort qu'il a fait sur lui-même.

— Faut se tégrouiller. Ils vont nous encercler... Je vais les calmer. C'est un vieux truc, mais ça prend souvent... Vous allez voir.

Il pose son F.M., retourne sur la crête et hurle pour bien se faire entendre des Viets.

— Teuxième compagnie... Tirez seulement sur tes objectifs visibles!

Il redescend précipitamment alors qu'une volée de balles passent en claquant au-dessus de lui et font sauter l'écorce d'un arbre.

— J'ai pas osé tire bataillon. Ils l'auraient pas cru.

Perrin, sur la première ligne de défense, s'est retourné quand il a entendu l'adjudant. Il lâche en vitesse un dernier coup de fusil, remonte la pente en zigzaguant et passe la crête comme un boulet.

— Mon lieutenant, mon lieutenant, j' voulais vous dire : j'ai eu tango-tango...

— On n'est pas sourds...

La voix de Willsdorff est très sèche.

— ... Qu'est-ce que tu foutais là?

Douché, Perrin perd son exaltation et bafouille.

– Ben, j' sais pas. Si... J'aidais Ba Kut, quoi!

– T'es pas voltigeur. T'es radio et t'es le seul. Alors tu t'amuseras à tirer tes coups te fusil quand on te le temantera. Compris! Bon, qu'est-ce que raconte Tao Tsaï?

– Ils sont harcelés depuis minuit, le capitaine du 3e B.C.L. [1] dit qu'on doit rejoindre d'urgence. Il pense que les Viets ont déclenché leur offensive. Ça y est...

– Non, sans blague...

Willsdorff ricane.

– ... y a qu'à regarder la Nam La.

Loin dans la vallée, une longue file de soldats verts traverse le gué.

Torrens s'adosse au réfrigérateur, son regard fixe a une expression dure, surprenante dans un visage si jeune. Perrin en est un peu intimidé.

– Il a dit aussi qu'on avait eu du pot de pas prendre la piste directe parce que les Viets ils avaient placé une embuscade pour nous avoir, mon lieutenant, enfin, d'après des réfugiés il disait. Je voulais vous prévenir mais la bagarre a éclaté. J'ai pensé que... que vous alliez revenir. Ah! y a encore un truc. Les B. 26 de Vientiane sont en alerte. Ils doivent venir bombarder la piste quand la météo sera meilleure.

– Merci Perrin. Démontez votre radio en vitesse, on va partir.

Le tir de mortier cesse. Tapis dans leurs trous, les hommes de Ba Kut ont stoppé le premier assaut. Ce n'est qu'un sursis. Le silence relatif fait ressortir les voix et les craquements menaçants des Viets se frayant un passage dans la jungle. Les lourds nuages noirs de la mousson pèsent sur les flancs de la chaîne de

---

1. B.C.L. : Bataillon de Chasseurs Laotiens.

montagnes qui domine le piton. Il recommence à pleuvoir. Ba Phalong, le supplétif à la jambe déchiquetée, s'est roulé en boule comme un enfant. Dans le calme revenu, son cri morne traîne longtemps, se casse dans quelques halètements et reprend, monotone, rythmé par la respiration. Roudier a cessé de vomir, des spasmes crispent encore sa figure. Willsdorff lui déboutonne son pantalon et regarde son ventre. A quelques centimètres du nombril, un petit trou noir laisse suinter un peu de sérosité. La balle est ressortie au-dessus du rein gauche par une grosse déchirure palpitante.

— Tu pisses du sang ?

— J' sais pas.

— Eh bien regarde.

Pudiquement le sergent essaye de se tourner sur le côté. Cinq autres blessés gisent immobiles dans la boue, indifférents à l'infirmier qui les panse. Par petits groupes silencieux, accroupis sur leurs talons, des supplétifs rechargent leurs armes et récupèrent des munitions dans les sacs des blessés.

— Non, c'est pas rouge.

Les gouttes de pluie roulent sur le front de Roudier, coulent comme des larmes le long de son nez, mouillant au passage ses yeux tristes qui guettent l'adjudant. Willsdorff essaie maladroitement de plaisanter.

— Alors, mon cochon, tu pisses sur ton froc !

Seules les joues du blessé se rident dans l'esquisse d'un sourire et les yeux gris restent sans joie.

— T'en fais pas. Ya que la tripe de touchée. Je vais te faire une syrette de morphine.

Torrens blafard s'agenouille à côté de Willsdorff, il évite le regard de Roudier et se ronge l'ongle du pouce.

— Faites-en aussi une à celui-là, dit-il au bout d'un moment en désignant Ba Phalong.

– Je ne peux pas, y a rien à faire, il a en plus une balle tans le poumon, qui a tû toucher la rate, t'ailleurs. Ça l'étoufferait.

L'adjudant enfonce l'aiguille dans la cuisse, comprime le tube d'étain de la syrette et ajoute laconiquement :

– Quatre morts, trois chez Roudier et un...

– Frères laotiens, rendez-vous!

Très proche, l'appel jaillit de la forêt. La voix est aiguë, presque sans trace d'accent vietnamien. Personne ne parle plus sur le piton, seul Ba Phalong lâche inlassablement son cri de bête.

– Frères laotiens, tuez les Français et venez avec nous. Si vous restez avec les Français, on vous tuera tous. Rendez-vous.

– Merde! Couille!

Des insultes en français ou en laotien appuyées de rafales de mitraillette fusent de tout le périmètre de défense. Un supplétif se lève à moitié en brandissant son fusil.

– Si toi pas avoir cartouche, moi c'est donner une pour toi.

Un coup de feu bien ajusté le fait plonger dans son trou au milieu des éclats de rire de ses camarades. Ba Kut furieux les fait taire.

– Silence! Pas moyen voir, pas moyen tirer. Ma si me moune [1].

De nouveau le râle régulier de Ba Phalong et le ruissellement de la pluie submergent le piton. Torrens frissonne sous le poids de son treillis mouillé. Il peut suivre au bruit, quand Ba Phalong se tait pour reprendre son

1. Ma si me moune : juron d'une telle grossièreté qu'il est préférable de ne pas le traduire en français.

souffle, le travail de sape de la colonne viet qui grignote son chemin dans la jungle.

— Willsdorff, il faut décrocher maintenant. Ba Kut! Ba Kut!

En courant le sergent laotien les rejoint et s'accroupit à côté de Roudier.

— Ba Kut, on va partir. J'emmène le groupe de commandement et les restes du groupe de Roudier avec les blessés sur la cote 924, en suivant la ligne...

Willsdorff a un sursaut.

— Mais c'est...

D'un geste Torrens l'arrête.

— En suivant la ligne de crête. Vous, vous allez rester ici avec votre groupe. Quinze minutes, vous avez une montre!

— Non!

— Tenez.

Torrens lui donne la sienne.

— Quinze minutes après notre départ, vous faites un peu de tapage; en attendant, vous décrochez en essayant d'entraîner les Viets derrière vous le plus loin possible de la cote 924. Vu! Ensuite tâchez de les semer et rejoignez-nous là-bas. Nous vous y attendrons jusqu'à minuit. En cas de pépin, je ne sais pas moi, ralliez Tao Tsaï. Voilà.

— C'est impossible...

Willsdorff se rapproche de Torrens et chuchote avec violence :

— ... C'est impossible t'emmener ces rombiers. Impos-si-ble. Il faut les laisser là avec une musette te méticaments.

Ba Kut a réussi à boucler le bracelet-montre. Il appuie timidement l'adjudant.

40

– Oui, mon lieutenant, c'est pas moyen. Y en a beaucoup le Viet-Minh. Mon lieutenant peut-être emmener Roudier. C'est pas moyen les aut'types.

Les yeux gris de Roudier ont cette absence, ce vide qui caractérise les myopes et les morphinomanes. Son regard passe à travers Torrens comme s'il n'existait pas. Torrens se lève et s'écarte de quelques pas.

– J'emmène Roudier, et les autres.

Willsdorff se lève à son tour. Il est furieux et ne se préoccupe plus de parler à voix basse.

– C'est te la connerie. Si tans quarante-huit heures ces teux-là ne sont pas à l'hôpital, ils sont foutus. En passant par la montagne, on mettra trois jours pour rejoindre Tao Tsaï. Oui, oui, oui, trois jours! Pour faire cinquante kilomètres! On sera tous foutus avant t'ailleurs. Y a peut-être une tivision viet qui fonce sur Louang Prabang. Et vous voulez passer à travers! comme ça! Avec tes blessés encore! Pourquoi pas avec le frigo pentant que vous y êtes!

Il ricane.

– En 44, dans le kessel te Tcherkassy aussi on tevait...

Une explosion sourde l'interrompt.

– ... Putain, c'est un fumigène. Ils règlent leur mortier...

A cinquante mètres en contre-bas, une fumée blanche monte entre les arbres. Les supplétifs se tassent dans leurs trous pleins d'eau, on ne voit plus que le haut de leurs chapeaux de broussse détrempés et le canon de leurs armes.

– ... Pas mal. La suite c'est pour nous. On les laisse là et on aura encore te la veine si on s'en sort les couilles nettes.

— Adjudant Willsdorff...

Torrens est très pâle mais sa voix est froide et résolue.

— ... Nous partons avec les blessés. Ba Kut reste en couverture. C'est tout.

Il hésite et ajoute plus doucement :

— C'est un ordre.

Willsdorff accuse le coup. Son visage se vide de toute expression, devient un masque mort. Seules les lèvres vivent.

— Tans ces conditions... A vos ortres. Je temante la permission te rester avec Ba Kut.

Torrens a un geste de lassitude. Face à l'adjudant massif et glacé, il semble encore plus jeune, encore plus frêle.

— D'accord et... bonne chance à tous les deux.

— Attention mortier !

Presque aussitôt trois obus percutent avec fracas la pente à dix mètres des trous de Ba Kut et couvrent les supplétifs de fange puant la pourriture et la cordite. Le quatrième, un peu en retard sur les autres, chuinte dans l'air et décapite un arbre beaucoup plus loin. Un éclat déchire la tôle blanche du réfrigérateur avec un bruit de casserole. Les hommes, qui s'étaient jetés à terre, se relèvent. Rapidement Torrens forme sa colonne de marche. Trois voltigeurs, un F.M. en tête. Trois voltigeurs, un F.M. en queue. Au milieu, les blessés. L'infirmier achève maladroitement le dernier pansement. Sur sept blessés, trois peuvent encore marcher à la rigueur. Ils geignent, pressant leurs mains sur leurs blessures comme pour les protéger. Torrens les rudoie sans pitié.

— Debout ! Dépêchez-vous !

– Mettez Ty en tête. Il toit passer sergent. Il sort de Chinaïmo [1].

Willsdorff désigne un caporal-chef, un métis laovietnamien.

– ... enfin, si vous voulez mon avis, ajoute-t-il d'un ton indifférent.

Torrens veut répondre. Finalement il se tourne vers le métis.

– O.K. Pas de bruit. Surtout pas de bruit. Vous filez sur la crête. Faut marcher vite mais garder le contact avec les blessés derrière vous. Vu ?

– Oui, chef.

– Bon. Allez-y ! Partez ! Partez donc !

Ty arme sa mitraillette et se lance sur la ligne de crête, suivi des deux voltigeurs et du F.M. désigné. Brutalement, Torrens pousse derrière eux l'infirmier et les trois blessés valides. Il reste huit supplétifs disponibles pour les quatre blessés graves. Ils discutent pour savoir comment ils vont s'y prendre. L'un d'eux tente de soulever Ba Phalong qui se met à hurler de douleur. Il le lâche aussitôt.

– C'est pas moyen, chef.

Torrens est pris d'une rage froide. Sans un mot il jette sa carabine au supplétif, se baisse et, prenant Roudier par la taille, l'installe sur ses épaules. Les dents serrées, il murmure ·

– Ne criez pas Roudier. Ne criez pas. On ne peut rien faire d'autre !

Roudier ne crie pas, ne gémit pas, seul le rythme de sa respiration s'accélère. Torrens se relève et reprend sa carabine.

---

1. Chinaïmo : Camp de l'Armée Royal Lao pour la formation accélérée de sous-officiers.

— Vite, dépêche-toi!

Stupéfait, le supplétif se penche sur Ba Phalong. Ses camarades l'aident à le charger sur ses épaules. Ba Phalong, qui hurlait depuis l'essai infructueux, cesse brusquement.

— Lui c'est mort!

— Allez! Allez! Suis les autres! Il s'est évanoui. Ça vaut mieux.

— Attention mortier!

Le premier réflexe de Torrens est de se plaquer au sol, mais il reste debout. Cette fois les quatre explosions se suivent régulièrement. La boue, les taillis, les shrapnells, volent dans la fumée jaune. Pas de cris. Personne ne semble avoir été touché. Torrens botte les fesses du supplétif couché à ses pieds qui protège encore sa tête de ses deux mains.

— Debout! Debout!

Perrin, pour libérer un homme, porte seul les deux éléments de son poste radio, un vieux Signal Corp Radio 294. Il décoche en passant un coup de pied au réfrigérateur qui résonne comme un gong.

— Bon Dieu! Si la mère de Lattre voyait ça! Les vaches!

Willsdorff le regarde partir, petite silhouette titubant sous le poids de sa charge, qui se hâte pour rattraper les voltigeurs de l'arrière-garde.

La pluie continue à tomber, une fine vapeur monte de la terre gorgée d'eau. Perrin disparaît dans la jungle. Le fusil-mitrailleur de Ba Kut lâche quelques rafales. Willsdorff s'accroupit devant le tas formé par les armes des blessés et des morts, abandonnées en vrac, et commence à retirer une à une les culasses.

Lundi 27 avril 1953, 10 h 10.

Depuis un quart d'heure, la colonne se débat lentement dans l'atmosphère glauque de la jungle. Sur l'arête étroite de la ligne de crête, les porteurs de blessés pataugent dans la boue, butent contre les racines, s'écorchent aux épineux. A chaque instant ils s'arrêtent, accumulent un peu d'énergie, prennent leur élan, avancent de quelques pas maladroits, tête baissée, se heurtent à leurs camarades et s'arrêtent encore, haletants, pour se donner un peu de répit. Le sang, la transpiration et la pluie imbibent leurs treillis, les collent à leur peau. Ils repartent, écrasés sous leurs charges, glissent sur la pourriture visqueuse du sol, dépensent d'un seul coup toutes leurs forces pour garder leur équilibre, tombent à genoux, s'accrochent à l'écorce gluante des arbres, se relèvent en tremblant comme des boxeurs groggy et gagnent encore quelques mètres. Deux fois déjà ils ont été changés. Seul, Torrens a conservé Roudier qui lui pisse dans le cou un sang chaud et écœurant. Aveuglé par sa sueur, il avance comme une bête traquée, répétant mécaniquement :

– Plus vite! Plus vite!

Ba Phalong a repris connaissance. Il ne crie plus. La poitrine comprimée par l'épaule du supplétif qui le porte, il étouffe. Sa bouche grande ouverte cherche un peu d'oxygène dans l'air stagnant de la forêt. Le pansement de sa jambe se dévide comme une pelote, traîne un instant blanc et sanglant avant de disparaître, enfoui dans la boue par les pieds du porteur suivant. Roudier et les deux autres blessés graves sont encore engourdis par la morphine. Ils geignent à chaque secousse, rythmant la marche cahotante de la colonne.

Le dernier porteur, les jambes prises dans le pansement de Ba Phalong, trébuche et tombe. Son blessé bascule, roule sur la pente en faisant craquer les branches mortes qu'il écrase et reste coincé contre un arbuste. Le porteur ne cherche pas à se relever. Il est allongé sur le ventre, les bras en croix, les yeux fermés. Indifférent, il se laisse dépasser sans un mot. Perrin et l'arrière-garde arrivent à sa hauteur. Derrière eux, très proche, la bataille du piton a repris. Inquiets, les voltigeurs s'accroupissent derrière les taillis et arment leurs fusils. Le claquement métallique des culasses fait sursauter l'homme couché. Il s'assoit et retire le pansement toujours enroulé autour de ses jambes. Perrin descend avec lui la pente abrupte pour rechercher le blessé.

Le reste de la colonne se traîne encore sur quelques mètres puis, l'un après l'autre, les porteurs, oscillant sur leurs jambes écartées, se déchargent de leurs blessés et s'assoient hébétés dans la boue. Torrens essaie encore de continuer.

– Allez! Allez! En avant!

46

Mais il n'insiste pas et dépose avec précaution Roudier.

– Ça va ?

– Ça va, merci mon lieutenant.

Les yeux gris sont fixés sur quelque objet lointain avec toujours cette désagréable impression de vide et d'absence.

Torrens se redresse en grimaçant et se masse la nuque et les épaules de ses deux mains.

– Cinq minutes de pause! Je veux voir le caporal Ty. Faites passer!

Avec des murmures furtifs, les supplétifs transmettent le message vers l'avant. Ils semblent prendre subitement conscience de la proximité de la fusillade. Vautrés dans la boue, immobiles, ils écoutent le crépitement forcené des mitraillettes, les cris, les craquements secs des grenades et, quatre par quatre, le martèlement lourd des obus de mortier. Même Ba Phalong retient sa respiration sifflante. Ty se glisse silencieusement jusqu'à Torrens, replie le chargeur de sa M.A.T. 49 et s'affale sur la terre molle que la pluie, dégouttant des treillis sanglants, teinte de rose.

– Tu vas prendre l'arrière-garde maintenant, Ty.

Une douzaine de grenades explosent presque simultanément dans un roulement sourd. Pendant deux secondes peut-être il n'y a plus un seul coup de feu, seulement des hurlements, puis le débit lent d'un F.M. relance le tir. Torrens a un regard vers son poignet, vers sa montre absente. Nerveusement il porte son pouce à sa bouche et se mord l'ongle.

– Ba Kut doit décrocher!... A la grenade!

Ty ne répond pas.

– On a marché longtemps. A quelle distance du piton... ?

— P't'être cinq cents mètres... grogne Perrin qui est remonté sur la crête et a entendu la question du sous-lieutenant. Il s'assoit précautionneusement, calant son dos contre un arbre pour que son poste radio ne lui pèse pas trop aux épaules.

— ... Six cents mètres à tout casser.

— Pas plus!

Torrens est déçu.

— Hein, Ty, qu'en pensez-vous?

— C'est pas marcher beaucoup, chef!

— Écoutez-les, mon lieutenant. Y sont pas loin, vous savez.

Après une hésitation, Perrin ajoute comme pour lui-même :

— Bon Dieu! ça y va drôlement. Y vont tous passer à la casserole.

— Ah non! Cessez de dire des idioties...

Torrens réagit brutalement. Sa voix est cinglante.

— ... Willsdorff et Ba Kut peuvent très bien s'en sortir. Vu?

Ty et Perrin le regardent étonnés et baissent la tête. Torrens se reprend.

— C'était la seule solution.

Pendant un moment, les hommes écoutent en silence le clapotement de la pluie et le fracas de la fusillade.

— Vous entendez. Ils ne tirent plus au mortier.

Perrin, les sourcils froncés, lève un regard interrogatif sur Torrens.

— Oui?

— Ça veut dire que les Viets sont sur le piton. Maintenant, ou ils courent après Willsdorff, ou ils trouvent notre piste...

Torrens se laisse aller en arrière les yeux fermés. Son visage se détend, accuse tout à coup son épuisement.

– Perrin, regardez votre montre. Dans une minute, départ.

La pluie tombe toujours. Les gouttes glissent de feuille en feuille, forment des petits filets d'eau qui courent sur les branches, dévalent les troncs, se répandent en flaques sur le sol saturé. Une odeur de moisissure et de champignons flotte dans l'air immobile.

– Mon lieutenant, mon lieutenant. Les B. 26!

Perrin débouche rapidement les sangles de son poste et se lève.

– Ça y est, les B. 26!

– Chut!

Torrens se redresse. D'abord à peine audible dans le bruit de la bataille, un ronronnement d'avions se précise. Tous les supplétifs lèvent la tête, cherchant une trouée dans la voûte des arbres.

Le ronronnement des moteurs augmente, emplit la forêt.

– Le voilà!

Entre les branches d'un arbre mort, un quadrimoteur D.C. 4 d'Air France passe lentement sous le ciel gris.

– Ah les vaches, y z'ont buté Gégène.

Perrin dégoûté revient s'asseoir.

– Un zinc civil. Ils n'en branlent pas une les aviateurs.

Il boucle ses sangles et ses yeux vifs regardent Torrens par en dessous.

– Les vaches, y a p't'être un rombier bien au chaud là-haut qu'est justement en train de demander à la pépée un Pernod bien glacé.

Les deux poings sur la poitrine, les pouces en avant,

bombant le torse, il imite les seins imaginaires de l'hôtesse.

— Le con! Par un temps pareil, moi je prendrais un marc!

Ty rigole.

— Moi le Pernod, ça va quand même.

Perrin grimace.

— Chacun son goût, mon coco, la merde a bien le sien.

Torrens ne peut s'empêcher de sourire.

— Un Pernod pour moi aussi, mais pas trop noyé. O.K. Allez! On redémarre, tout le monde debout. Ty.........

Il a un mouvement de tête vers l'arrière-garde.

— ... Si ça va mal, je serai là...

Lundi 27 avril 1953, 16 h 30.

Il ne pleut plus mais il fait très sombre quand les voltigeurs de l'avant-garde arrivent enfin sur la cote 924. Au-delà, il y a un petit col et plus rien. La chaîne de montagnes a disparu, coupée net, horizontalement, par les nuages. Les trois hommes laissent tomber leurs armes et s'assoient lourdement au pied d'un arbre foudroyé dont les branches noires se tendent vers le ciel sale. Des corbeaux effrayés s'envolent en croassant. Cent mètres plus bas, les blessés légers débouchent l'un après l'autre de la forêt et grimpent à travers la brousse clairsemée.

Un voltigeur sort de son sac une pipe à eau en bambou et une petite boîte de fer rouillé. Il fait signe au servant du F. M. de lui prêter son bidon, verse un peu d'eau dans le bambou, prend une pincée de tabac noir dans la boîte et le tasse du pouce dans le fourneau de la pipe. Le servant du F. M. lui passe un vieux briquet de cuivre. Il cherche autour de lui une petite brindille sèche, l'allume et promène la flamme sur le tabac en tirant quelques bouffées rapides pour amorcer la pipe. Des coups de feu sporadiques claquent dans la vallée. Le voltigeur lève les yeux sur le sombre amoncellement de collines qui s'étend devant lui. Indifférent, il jette la brindille et aspire à pleins poumons une longue bouffée qui consume entièrement la pincée de tabac. L'eau gargouille dans le bambou. Retenant sa respiration, il tend la pipe et la boîte de tabac à ses compagnons, se cale confortablement contre son sac, exhale lentement la fumée grise, le regard un peu perdu, débouche sa ceinture, lâche un pet et sourit béatement, les paupières mi-closes, le visage détendu. Les trois blessés blafards se laissent tomber près de l'arbre mort avec des yeux d'envie vers les fumeurs de pipe. Le tout jeune supplétif, entaillé à l'épaule par un éclat de mortier au gué de Pak La, grelotte de froid et se pelotonne sous son poncho.

Torrens sort à son tour de la forêt. Il a trois sacs et deux fusils en plus de sa carabine. Il est suivi de Perrin qui porte Roudier sur ses épaules, d'un supplétif avec Ba Phalong et, vingt mètres plus bas, de deux autres supplétifs. Lentement la petite troupe monte dans l'herbe haute. Le premier, Torrens pose ses sacs, ses armes et s'allonge l'œil éteint. Il se relève péniblement pour aider Perrin à étendre Roudier à côté des autres blessés. Le porteur de Ba Phalong étant encore trop loin, il se recouche, sort de sa poche son paquet de Job, prend une cigarette toute humide et chiffonnée, l'allume et ferme les yeux, trop essoufflé pour aspirer. La petite fumée bleue monte en oscillant au rythme de sa respiration. Perrin, rouge et trempé de sueur, reste un moment à genoux, tordu par un point de côté. Quelques coups de feu claquent de nouveau.

Torrens s'assoit, il passe sa main sur son visage fatigué, tire une longue bouffée de sa cigarette et la jette. A quelques pas de lui Ba Phalong et son porteur gisent comme des cadavres. Les deux derniers supplétifs approchent lentement en se profilant sur la crête. Torrens se lève.

— Un peu d'ordre. Je ne veux voir personne sur le sommet, c'est trop visible. Tout le monde sur la contre-pente.

Le supplétifs tournent vers lui leur regard vide, mais ne bougent pas.

— Dépêchez-vous. C'est pas la peine d'être arrivés ici pour se faire repérer maintenant.

Les quelques hommes sur la crête se laissent glisser un peu plus bas. Torrens s'approche des voltigeurs.

— Toi!

L'un d'eux le regarde l'œil rond, la bouche ouverte, complètement ahuri.

— Oui, toi.

Le voltigeur se lève, oubliant son fusil.

— Tu vas filer jusqu'à la forêt, là en bas. Quand le reste de la colonne va arriver, tu leur interdis de monter jusqu'ici par la crête. Vu! Tu leur dis de passer par le flanc gauche.

— Oui, chef.

— Tu as compris, au moins?

— Oui, chef.

— Qu'est-ce que tu as compris?

— Quand c'est camarades venir, chef, c'est pas moyen passer là, c'est moyen passer là.

De la main il indique successivement la crête et le flanc de la colline.

— Très bien! Exécution!

Le supplétif s'éloigne lentement comme un somnam-
bule.

— Ne passe pas par la crête, abruti!...

Torrens a un éclat de rire bref.

— ... Par la gauche et n'oublie pas ton fusil.

Deux longues rafales d'armes automatiques
résonnent dans le silence. Torrens essaye de les locali-
ser, mais c'est difficile en raison de l'écho. Il reste un
moment à regarder la vallée noire, et au-delà des collines, le cours boueux de la Nam La qui s'estompe derrière une muraille de pluie grise.

— Tireur F.M.

Il se retourne et lui fait signe de la main.

— Viens. Avec ta pièce voyons! Mets-toi en batterie
ici.

Il se baisse et regarde le champ de tir. Pas très satisfait, il s'éloigne de quelques pas.

— Non, là. Tu surveilles la forêt. Bon! Perrin,
aide-moi à transporter Ba Phalong à côté des autres
blessés.

Ba Phalong, effondré sur le côté, respire avec difficulté. Il est couvert de boue grise de la tête aux pieds.
Les deux hommes le transportent délicatement et le
déposent près de Roudier.

— Vous? Ça va? demande Torrens en arrivant.

Roudier, le visage terreux, fume une cigarette. Il
baisse imperceptiblement les paupières.

— Vous avez mal?

Roudier ferme les yeux.

— Un peu.

— Je vais vous faire une morphine.

— Faut l'asseoir, mon lieutenant. L'adjudant a dit
qu'il faut l'asseoir sans ça y peut pas respirer.

Perrin soutient Ba Phalong par les épaules. Torrens ramasse deux sacs et les lui cale dans le dos. Ba Phalong, la tête renversée en arrière, les yeux blancs, halète doucement. Des larmes ont laissé deux sillons propres sur ses joues. Le pansement sur sa rate n'a pas bougé, mais la plaie de sa jambe est affreuse. Décollé du tibia, le mollet pend sur le talon comme un morceau de viande couvert de boue et de sang séché. Torrens ne sait pas quoi faire.

– Passe-moi la sacoche de l'infirmier, je vais essayer de nettoyer ça.

Perrin revient avec une vieille musette U.S. sur laquelle une croix rouge a été badigeonnée au mercurochrome.

– Voilà, mon lieutenant.

– Merci. Installe ta radio et préviens-moi quand tu auras Tao Tsaï.

– J'peux pas, mon lieutenant. J'ai refilé mon poste à Ba Lu quand j'ai pris Roudier. Il est pas encore là.

– O.K. Eh bien, en attendant, donne-moi un coup de main.

Perrin s'accroupit, fouille dans la musette et sort triomphant un petit flacon.

– Tiens! Voilà le cognac que l'adjudant m'a fait garder à Luong Ba. Vous vous rappelez?

Torrens, préoccupé, hoche la tête et prend un morceau de coton et une bouteille d'éther.

– Tiens-lui la jambe. Un peu plus haut. Voilà.

Il commence à promener timidement son coton imbibé d'éther sur les plus grosses croûtes de boue.

– Il m'a l'air assez calé en médecine, l'adjudant Willsdorff?

– Il connaît tout. Ça c'est vrai. Il a appris en Russie.

55

— En Russie ?

Ba Phalong gémit et secoue sa jambe avec violence. Un peu de sang frais commence à couler. Torrens est devenu très pâle.

— Il faut quand même que je lui nettoie ça.

Il insiste un peu avec son coton, mais Ba Phalong se tord et gémit de plus en plus fort. Le mollet palpite et se contracte.

— Vous lui faites mal, dit Perrin mal à l'aise.

— Je le sais bien, répond Torrens agacé.

De plus en plus désemparé, il abandonne son coton, ouvre deux sachets de sulfamides et les répand sur la plaie.

— Tenez-le bien. Je vais lui faire un pansement.

Sa voix est mal assurée, mais il prend résolument le mollet d'une main et l'applique sur le tibia. De l'autre, il commence à serrer une bande. Ba Phalong est secoué de spasmes, ses yeux ont complètement chaviré.

— On pourrait p't'être lui filer un coup de cognac, propose Perrin aussi impressionné que Torrens.

— Je ne sais pas si ce serait très bon pour lui. Il y a du solucamphre. Je vais lui faire une piqûre. Par contre je crois que c'est ce dont nous avons besoin tous les deux.

Torrens termine le pansement, prend le cognac et boit une gorgée. Il s'étrangle et tousse. Un peu de couleur lui revient aux joues. Il tend le flacon à Perrin.

— Allez-y, mon vieux. Vous êtes blanc comme un mort.

— Ça, j'veux bien alors, merci, mon lieutenant.

Torrens sort d'une boîte la syrette de solucamphre et parcourt la notice.

— On peut la faire n'importe où. Je vais lui piquer le bras.

Perrin essuie le goulot avec sa paume sale, boit un coup et rebouche le flacon en soupirant d'aise.

— C'est du bon ça, c'est du trois étoiles... Il va mourir, mon lieutenant.

Ba Phalong semble inconscient, il hoquette avec des gargouillements de pipe à eau. Quand Torrens fait la piqûre, il ne réagit pas. Une série de coups de feu partent dans la vallée.

— Ils lui courent toujours après... Alors il a fait la campagne de Russie ? Dans la Wehrmacht ?

— Comment ? Ah, l'adjudant vous voulez dire. Ben, j'sais pas. Pendant la guerre, c'était un schleuh, quoi !

Torrens jette la syrette vide, se tourne vers Roudier et lui sort le bras de son poncho.

— Passez-moi la morphine. Willsdorff n'est pas Allemand, il est Alsacien.

Perrin lui tend la boîte ouverte.

— Il en reste pas lourd. Cinq seulement. Oui, il est Alsacien, mais pendant la guerre, y z'étaient occupés.

— Toute la France a été occupée, voyons.

— Je sais, mais eux, c'était pas pareil. Y z'étaient schleuh. Il parle schleuh d'ailleurs.

Torrens tapote le bras de Roudier pour assouplir les muscles et le pique en murmurant pensif :

— C'est pour ça qu'il parlait de Tcherkassy.

— Quoi, mon lieutenant ?

— Rien. Il parlait d'une bataille en Russie... un petit Stalingrad.

La totalité de la colonne est arrivée. Les supplétifs gisent épars, exténués. Certains ronflent, la bouche ouverte, la nuque sur leurs sacs et le fusil serré dans les bras. Le caporal Ty porte un blessé. Derrière le volti-geur à la démarche endormie que Torrens avait envoyé à l'orée de la forêt, il escalade lentement la pente raide du flanc de la colline en tâtant du pied la résistance du sol à chaque pas comme un montagnard.

Il fait un peu moins sombre. Un vent léger s'est levé et déchire les brumes grises qui s'accrochent encore aux grands arbres du col. Plus loin, la montagne effacée par les nuages réapparaît par plaques noires. De l'autre côté de la crête, des coups de feu de plus en plus nom-breux montent de la vallée.

Aidé de Torrens et Perrin, Ty dépose son blessé à côté de Ba Phalong. Il s'étire en se cambrant, les deux mains sur les reins.

— Viet-Minh c'est pas beaucoup loin, chef!

Torrens approuve.

— Oui, pourvu qu'ils n'envoient pas une patrouille par ici.

Il écoute une seconde le crépitement d'une mitrail-lette.

— Un M.A.T. 49 on dirait. Willsdorff a du mal à les semer.

Perrin prend un air dégoûté.

— Ça veut rien dire. Les Viets, ils en ont aussi.

Torrens fait un effort pour ne pas montrer son aga-cement.

— Dites donc, Perrin. Votre radio? Tao Tsaï?

— Oh, excusez-moi, mon lieutenant, j'avais oublié.

Torrens hausse les épaules et se tourne vers Ty qui se tient toujours les reins à deux mains.

— Installez-vous contre l'arbre. L'antenne se confon-dra avec les branches. O.K. Ty, vous allez vous reposer un peu, mais avant je voudrais que vous désigniez trois

58

hommes, les moins fatigués, peut-être la voltige de l'arrière-garde, pour couper des bambous. De quoi faire... – A voix basse le sous-lieutenant fait un rapide calcul. – Quatre types par brancard, quatre fois quatre seize. Oui, c'est un maximum... De quoi faire faire quatre brancards. Ma foi, les trois autres continueront à marcher.

Perrin déplie la grande antenne et en visse chaque élément. Ba Lu de son côté installe la dynamo à manivelle sur un petit trépied qui ressemble, avec sa selle, à l'affût des vieilles mitrailleuses Hotchkiss. Torrens s'accroupit au milieu des supplétifs vautrés sur la pente.

– A partir de maintenant, je veux un silence absolu. Autant que possible, ne bougez pas. Reposez-vous. Mangez. Une des rations cuites à Luong Ba et une boîte de sardines par homme. Où est l'infirmier ?

– Oui, chef ?

Un supplétif se soulève légèrement sur le coude.

– Tu feras manger les blessés. Sauf Ba Phalong et le sergent Roudier. Donne aussi une paludrine à tout le monde. Vu ?

– Oui, chef. Bou mi le riz blessés.

– Quoi ?

L'infirmier cherche désespérément à s'expliquer.

– C'est pas moyen le riz blessés, Chef. Bou mi. Chef c'est dire laisser fusils, laisser bordel. Chef c'est content garder. Chef c'est dire pas moyen kun phou, moueï laï. Bou mi le riz.

Torrens renonce à comprendre. Un caporal vient à son secours.

– Lui dire sacs des blessés restés avec l'adjudant.

Un grand sourire illumine le visage de l'infirmier.

— Oui, chef. Adjudant content garder bordel. Bou mi le riz.

Torrens essaye de garder son sérieux.

— Et ça te fait rire. Eh bien, mon vieux, débrouille-toi. Retire un peu de riz et une sardine à chaque ration. Vois ça avec le caporal Ty.

Perrin accroupi devant son vieux S.C.R. 294 est prêt à commencer ses appels. Pendant que Ba Lu fait ronronner la dynamo en tournant les manivelles, il siffle dans le micro en contrôlant de l'œil le voltmètre. Satisfait, il lève le pouce.

— O.K. Tango Tango de Lima Bravo, de Lima Bravo, répondez, j'écoute.

Il arrête Ba Lu d'un signe de tête et passe sur écoute. Le haut-parleur grésille.

— *Out damned spot! Out, I say! One; two; Why, then 'tis time to do't* [1]...

— Merde, encore ces fumiers d'Anglais.

Furieux, Perrin se mit à tripoter le bouton de réglage de la longueur d'ondes. L'audition devient moins bonne.

— Pourtant j'y suis, bon Dieu! 4 560 kylocycles. Y a pas à chier!

— *Hell is murky! Fie my lord fie! A soldier and afeard? What* [2]...

Perrin coupe net en enclenchant l'émission.

— Vouat! Vouat!... Vouat faire foutre, oui. Ba Lu vas-y... Tango Tango de Lima Bravo répondez.

---

1. Va-t'en tache damnée! Va-t'en dis-je! une; deux! Alors il est temps de faire la chose...
2. L'enfer est sombre. — Fi monseigneur! fi! un soldat avoir peur... A quoi...

Torrens vient s'asseoir à côté de lui.

– Qu'est-ce qu'il y a?

– Y a que le 4 560 c'est à toucher un poste anglais. Une émission sur ondes courtes. On devrait pas l'entendre, notez bien, mais avec les ondes en montagne! C'est un vrai cirque. Déjà une fois, il y a trois mois, avec l'adjudant...

Torrens pressé l'interrompt.

– Bon. Qu'est-ce qu'on peut faire?

– Y a rien à faire, faut continuer, on finira bien par les accrocher quand même...

Perrin, d'un coup de pouce, passe sur réception.

– Mais écoutez-les ces cons-là mon lieutenant!

– ... *the old man to have had so much blood in him?* – *Do you mark that?* – *The Thame of Fife had a wife: where is...* [1].

Deux explosions de grenades déclenchent une véritable fusillade. Surpris par leur proximité, Torrens se lève et s'appuie contre l'arbre foudroyé pour observer la vallée. Le caporal Ty arrive derrière lui, tenant à la main une boule de riz enveloppée dans des feuilles de bananier et une boîte de sardines à la tomate. Torrens se retourne brusquement.

– J'ai dit personne sur la... Ah, c'est vous Ty.

– C'est pour manger le riz, chef.

– Merci.

Torrens pose la boule et la boîte sur le poste radio.

– Ils se sont rapprochés.

Silencieux, les deux hommes guettent la vallée de la Nam La.

---

1. ... le vieil homme eut en lui tant de sang – Entendez-vous cela? – Le thame de Fife avait une femme. Où est...

— ... be clean ? No more o'that myllord, no more o'that [1]... Tango Tango de Lima Bravo...

Sur une petite colline en face de la cote 924, il y a un raï, vaste trouée, comme une pelade, faite dans la jungle par un incendie allumé à la saison sèche par les Méo pour cultiver le riz de montagne.

— J'ai l'impression qu'ils sont par là... près du raï. Ty reste silencieux.

— On peut pas savoir, avec l'écho, reprend le sous-lieutenant.

— Tango Tango de Lima Bravo, répondez, j'écoute...

— Here is the smell of the blood still. All the perfumes of Arabia will not sweeten this little hand [2]... Tango Tango de Lima Bravo...

Une série de claquements secs retentit du côté du col. Torrens se retourne, tendu.

— Qu'est-ce que c'est que ça ?

— C'est les types couper bambous.

— Ils en font du bruit avec leur coupe-coupe.

Il attrape une sardine par la queue et l'avale en se penchant en avant pour éviter de faire couler de la tomate sur son treillis. Il prend ensuite une portion de la boule de riz et la grignote comme un morceau de pain. Près du raï, le combat semble augmenter de violence. Quatre petites silhouettes quittent soudain l'abri de la jungle et se lancent dans l'espace découvert. Torrens prend ses jumelles et peut détailler les quatre hommes qui courent. Ils portent des treillis et des chapeaux de brousse. La boue vole de leurs pas, ils évitent les troncs calcinés, sautent les souches et se réfugient

---

1. ... propre. Assez mon seigneur, assez...
2. Il y a toujours l'odeur du sang. Tous les parfums de l'Arabie ne purifieraient pas cette petite main.

sous les arbres de l'autre côté du raï. A peine ont-ils disparu que deux autres silhouettes à dix mètres d'intervalle bondissent sur leurs traces. L'une grande et massive file à longues enjambées, l'autre, toute petite, semble handicapée. Cette fois, leur course est encadrée par les impacts des balles qui soulèvent des gerbes de boue et de cendres.

— Le premier, c'est Willsdorff, murmure Torrens.

Perrin interrompt son émission et se dresse pour voir. Le poste radio se remet à grésiller.

— *Pray God il be, sir... This disease is beyond my practice* [1]...

Willsdorff, grand et massif, est presque arrivé. Le deuxième homme, qui tient un fusil-mitrailleur, s'est laissé distancer. Il est seulement à mi-chemin quand il lâche son arme, fait encore une dizaine de pas, cassé en deux, perdant progressivement l'équilibre, trébuche et s'effondre au milieu des souches noircies.

Pendant un temps très court c'est le silence, puis un dernier homme sort de la jungle. Il court comme un forcené droit devant lui, et réussit à passer malgré les tirs.

— Lui c'est Kang Toun.

Torrens regarde Ty dont le visage fermé est sans expression.

— Le dernier ? Qui vient de passer ?

— Non, lui, tireur F.M. Kang Toun toujours tireur F.M. Lui c'est métis : papa lao, maman vietnamien.

Torrens grignote sa boule de riz et murmure entre ses dents :

1. Priez Dieu que tout soit bien, monsieur. Cette maladie échappe à mon art...

— Ça en fait six, six sur treize. Sur quinze avec Willsdorff et Ba Kut.

— Et Kang Toun, mon lieutenant, il est mort ? demande Perrin.

Torrens reprend ses jumelles.

— Il ne vaut guère mieux. Attendez, il bouge, il bouge... on dirait qu'il les appelle.

— Là, regardez, mon lieutenant. Il est fou celui-là !

Perrin a crié d'excitation. Bondissant de l'abri de la jungle qu'il vient de gagner, un homme court vers le blessé. Torrens braque ses jumelles sur lui.

— Je crois que c'est Willsdorff... il va le chercher.

Mais la silhouette de l'adjudant continue toujours. Dépassant le corps de Kang Toun, il ramasse au vol le F.M. tombé dix mètres plus loin et retourne sur ses pas. Pour Torrens qui l'observe dans ses jumelles, il semble, malgré le mouvement rapide de ses jambes, s'éloigner avec une lenteur désespérante, plaqué contre la pente grise du raï. Des souches volent en éclats sous le choc des balles. Stoppé dans la course, Willsdorff bascule derrière le blessé. De nouveau, après ce succès, le tir viet cesse. Seul le martèlement des coupeurs de bambou et le grésillement du poste radio résonnent dans le silence.

— *Come, come, come give me your hand. What-s done cannot be undone* [1].

Perrin se rassoit et machinalement enclenche l'émission. Il lance son appel sans voir que Ba Lu oublie de faire tourner la dynamo.

— Lima Bravo appelle Tango Tango. Appelle Tango Tango répondez, j'écoute.

1. Venez, venez, venez, donnez-moi votre main. Ce qui est fait ne peut être défait.

Dans le raï, la petite silhouette de Willsdorff se redresse et le F.M. toujours à la main part en courant vers la jungle. Surpris, les Viets réagissent trop tard et leurs armes automatiques s'acharnent sur le corps de Kang Toun resté seul.

— *Foul whisperings are abroad. Unnatural deeds. Do breed unatural troubles; infected minds. To their deaf pillows will discharge their secrets* [1]...

— Ba Lu, Ba Lu, Bon Dieu! Pédale! Tango Tango...

---

1. D'horribles murmures ont été proférés. Des actions contre nature produisent des troubles contre nature. Les consciences infectées déchargent leur secret sur les sourds oreillers.

Lundi 27 avril 1953, 18 h 45.

– *You have been listening to our cultural program broadcast from the Old Vic theatre by the B.B.C. This is Radio Singapoor... And now here is some light music* [1]...

Perrin coupe la réception et prend le micro en faisant tourner son index au-dessus de sa tête comme les aviateurs américains quand ils demandent aux mécanos de lancer leurs moteurs. Ba Lu, effondré sur la dynamo, somnole. D'une bourrade, Perrin le fait basculer.

– Alors, tête de lard, on coince la bulle!

Ba Lu se relève furieux.

– Merde. C'est pas moyen la radio. Bou mi. Toi casser mon cul.

Il sort un paquet de Job de sa poche. Perrin lui fauche une cigarette.

1. Vous venez d'entendre notre programme culturel retransmis du théâtre de l'Old Vic par la B.B.C. Ici Radio Singapour... Et maintenant un peu de musique légère.

– Tu vas pas me faire chier, toi aussi, non!... Déjà les Anglais... Y en a marre. Je te dis qu'on va finir par accrocher Tango Tango.

Ba Lu s'est remis en selle. Il allume sa cigarette et tend son briquet à Perrin avec un sourire moqueur.

– C'est pas moyen.

– Tu vas voir; c'est pas moyen...

Perrin imite en l'exagérant la prononciation du laotien.

– ... je connais la radio, moi. Et toi t'es un con! Et en con, je m'y connais aussi.

Torrens, allongé dans l'herbe, tire les dernières bouffées d'une cigarette qu'il tient avec deux doigts contre ses lèvres. La fraîcheur du soir le fait frissonner. Il jette son mégot, referme jusqu'au cou sa veste de treillis, regarde un instant la masse noire de la montagne qui se dresse devant lui et se lève. Dans la pénombre, les supplétifs sont toujours étendus sur la pente. Ils se sont regroupés par petits paquets pour se tenir chaud. Certains dorment, d'autres parlent à voix basse. Torrens peut entendre le murmure des conversations et voir par moments l'éclat rouge des cigarettes quand les fumeurs aspirent une bouffée.

– Tango Tango de Lima Bravo, répondez, j'écoute.

L'appel monotone le fait se tourner.

– Éteignez-moi ces cigarettes. Tout le monde. Il fait trop sombre maintenant.

Les points rouges brillent tous ensemble une dernière fois quand les supplétifs tirent sur leur mégot avant de l'éteindre.

– Perrin, tu peux arrêter ça.

Ba Lu cesse immédiatement d'appuyer sur les manivelles. Perrin garde le micro.

— Mais, mon lieutenant, on va les avoir, maintenant. Ils ne baratinent plus, ils font de la musique les Anglais. Ce sera plus facile de les entendre.

— Arrêtez et démontez votre poste. Vu! On part.

— Et les autres? L'adjudant? Mon lieutenant. On devrait les attendre jusqu'à minuit.

Torrens ne répond pas. Énervé, il s'est éloigné sur la crête.

Sous les énormes nuages noirs au ventre teinté de soufre, la vallée n'est plus qu'une grande coulée sombre dans laquelle on distingue seulement le trait sinueux de la Nam La. Torrens devine encore la colline et le raï, mais le corps de Kang Toun dissous dans l'ombre n'est plus visible. Préoccupé, il se ronge l'ongle du pouce, fait encore quelques pas et trébuche. Un grognement monte du sol et le supplétif piétiné se relève rapidement pour se mettre au garde-à-vous.

— Qu'est-ce que tu fiches là, toi?

— Chef moi tireur F.M., toi dire...

— Ah, oui. La sentinelle, tu dormais, hein?

— Non chef.

— Ça m'étonnerait.

Torrens reste un long moment silencieux, regardant l'homme avec indifférence, comme s'il poursuivait un dialogue intérieur. Soudain décidé il lui met la main sur l'épaule.

— Eh bien, oui, mon vieux, on va partir, et en vitesse encore.

Il laisse la sentinelle sidérée et se dirige d'un pas vif vers les blessés.

— Ty, les brancards sont prêts?

— Oui, chef.

— Prépare l'embarquement des blessés. On part.

Torrens guette la réaction du caporal.

– Oui, chef.

– Tu comprends, on ne peut pas...

Oubliant son ordre précédant, Torrens sort une cigarette, la glisse entre ses lèvres et essaye sans succès de
faire partir ses allumettes humides. Furieux il remet sa
cigarette dans sa poche au moment où Ty lui offre du
feu avec son briquet.

– Merci. Faut pas fumer. Il doit y avoir une piste
sur le col. On va la suivre.

– Oui, chef, moi c'est connaître.

– Il faut seize types pour les brancards. On est vingt.
Perrin a sa radio. Ça fait dix-neuf. Toi et moi, dix-sept.
Il reste un type. Choisis-toi un bon voltigeur. Au pre-
mier village on prendra des porteurs... On ne peut pas
attendre, tu comprends ? C'est trop dangereux. Les
Viets finiront bien par venir ici.

– Oui, chef.

Torrens s'éloigne de quelques pas en grommelant ·

– Oui... Oui chef.

Il se penche sur le petit supplétif blessé à l'épaule qui
grelotte sous son poncho.

– Ça ne va pas ?

Le petit supplétif ouvre les yeux et répond d'une
petite voix triste :

– Oui, chef.

Torrens pose sa main sur son front brûlant.

– Ce n'est rien. Sans doute du palu. Mais il va falloir que tu marches jusqu'au prochain village. Tu vas
marcher ?

– Oui, chef.

Il fait tout à fait nuit quand la colonne et son chargement abandonnent la cote 924 et s'enfoncent dans la jungle du col. De l'autre côté de la crête, dans la vallée, un coup de feu claque, solitaire et lointain.

Mardi 28 avril 1953, 03 h 00.

Il bruine. Des chiens aboient dans la nuit. Torrens éteint immédiatement sa torche électrique. Dans l'obscurité totale, il sent osciller contre sa cuisse le brancard en porte-à-faux sur le tronc d'arbre abattu en travers de la piste. Simultanément, il entend le bruit d'une chute et des jurons laotiens étouffés. Lentement, le brancard commence à glisser. Torrens cramponné au fouillis des branches, enfourne la torche dans sa poche, tend sa main libre et agrippe quelque chose d'humide et froid. Le blessé pousse un cri douloureux.

— Tais-toi! Tais-toi! murmure Torrens en lâchant sa prise.

Il sent le visage tiède lui filer sous les doigts, puis la toile de tente trempée et réussit à attraper le cadre de bambou avant que le brancard n'ait complètement basculé. Du ravin que côtoie la piste montent des froissements et la voix contenue d'un supplétif.

— Chef! Fusil pour moi c'est tombé. Moyen la lampe!

— Silence!

Le froissement furtif persiste. Torrens devine que l'homme à quatre pattes tâte le sol autour de lui pour retrouver son arme. Un des chiens hurle à la mort comme un loup. Sec comme un coup de feu, une culasse claque en tête de colonne.

— Pas tirer! Couille! Voltigeur! grogne Ty à voix basse, puis il appelle doucement :

— Chef! Chef!

— Arrive!

Ty se fraye un passage jusqu'à Torrens.

— Voltigeur c'est dire village devant.

— Il y a des Viets? Qu'est-ce qu'il dit?

— Moyen. Voltigeur c'est pas connaître. Lui dire : Y en a pas guetteur. Pas bon chef.

— O.K. On va aller voir. Retiens ce brancard pendant que je me dégage.

Après quelques essais infructueux, Torrens, Ty et trois supplétifs réussissent à faire passer le brancard par-dessus le tronc. Le blessé, malmené, gémit.

— Mettez-le dans le ravin. Ty, tu fais dégager la piste. Tout le monde dans le ravin. Je vais avec le voltigeur voir ce village. Tu restes ici, pas de bruit. Et pas de coups de fusil, hein!

— Oui, chef

Torrens remonte la piste comme un aveugle, trébuche sur les premiers brancards et finit par rejoindre le voltigeur.

— Amène-moi au village.

— Oui, chef.

Torrens ne voit pas le voltigeur, il le suit au bruit, titubant sur la piste visqueuse de boue. A chaque instant des feuilles mouillées lui fouettent le visage;

parfois de vieilles branches pourries luisent faiblement et s'effritent en gerbe d'étincelles phosphorescentes sous les pieds. Brutalement la jungle s'éclaircit. A quelques mètres devant lui, Torrens distingue un petit point lumineux et bute contre le voltigeur.

— Village, chef.

Les chiens aboient furieusement sans oser approcher. Les deux hommes restent un moment immobiles, mais, à part les chiens et la petite lueur, le village semble mort.

— Il faut entrer dans la maison, celle qui est éclairée, murmure Torrens à l'oreille du voltigeur.

Ils repartent en tâtonnant et découvrent l'échelle qui permet d'accéder au plancher surélevé. Des grognements partent de sous la paillote, le voltigeur a un rire silencieux.

— Cochons, Bou mi Viet-Minh.

Et sans plus se soucier de faire du bruit, il grimpe l'échelle, pousse la porte, se découpe un instant dans la lumière et disparaît à l'intérieur de la paillote. Au milieu des hurlements des chiens, Torrens entend les débuts d'une conversation. Rapidement il escalade l'échelle et pousse la porte à son tour. Au centre d'une grande pièce à peine éclairée par une petite lampe à pétrole, deux femmes sont à genoux faisant de grands laï et parlant d'abondance. Le voltigeur, accroupi près de la pierre plate du foyer, fouille dans les cendres pour trouver des braises et allumer une cigarette. Dans la pénombre du fond de la pièce deux bâtonnets d'encens se consument et brillent comme des yeux de chat devant un Bouddha doré installé dans une caisse peinte en rouge. Cinq ou six petits enfants dorment serrés les uns contre les autres sous une moustiquaire blanche.

Torrens s'égoutte un peu et s'approche du feu pour se réchauffer. Le voltigeur jette une poignée de brindilles et agite une feuille de latanier comme un éventail pour attiser les braises.

— Bou mi Viet-Minh chef. C'est venir déjà, c'est partir déjà. Bou mi.

Les deux femmes recommencent leur laï et approuvent en chœur.

— Bou mi Viet-Minh. Bou mi.

Les brindilles crépitent et une grande flamme chaude illumine la pièce. Torrens a un frisson de bien-être. Il pose sa carabine, sort ses cigarettes dont le paquet est décollé par l'humidité, en choisit une encore en état d'être fumée et dispose les autres sur la pierre du foyer pour les sécher.

— Comment ça, les Viets sont venus ici?

— Oui, chef.

— Et ils sont repartis?

— Oui, chef. C'est emmener tous les hommes.

— Ils ont emmené tous les hommes, pourquoi?

— C'est pas connaître, chef. C'est moyen porter le riz? Moyen marcher la piste? C'est pas connaître.

Torrens tire avec volupté sur sa cigarette, son treillis trempé a fait une série de petites flaques autour de lui.

— Où est le chef du village?

Le voltigeur discute un moment avec les deux femmes.

— Pho Ban. Le chef village dormir, chef. Beaucoup peur des Viet-Minh venir. Lui c'est fumer opium, dormir.

Torrens ferme les yeux. La lueur jaune du feu danse sur ses traits tirés. Des moustiques bourdonnent autour de ses oreilles. Une femme sort une théière enfouie dans

76

un panier capitonné, remplit deux bols ébréchés et les offre avec un petit geste de prière aux deux soldats. Torrens serre le bol dans ses deux mains et boit par petites gorgées le thé brûlant. Il repose le bol et ramasse sa carabine.

– O.K. On va réveiller Pho Ban.

Le voltigeur lève la tête étonné.

– Chef, ici maison Pho Ban. Lui beaucoup triste, beaucoup fumer, beaucoup dormir, pas moyen réveiller.

Torrens a un geste excédé. Il est arrivé à ce degré de fatigue où l'on ne supporte plus la contradiction.

– Sous prétexte que ton vieux pékin est bourré de drogue on ne va pas rester ici toute la nuit, non! Et les blessés qui attendent sous la pluie!

Un enfant réveillé par les éclats de voix se met à pleurer.

– Attends, chef.

Le voltigeur reprend sa discussion avec les deux femmes et se retourne épanoui.

– Chef, c'est dire nous partir chercher camarades, c'est dire réveiller Pho Ban, c'est dire femmes chercher camarades, c'est dire manger le riz, dormir.

La plus jeune des deux femmes s'est levée et lance des sourires encourageants. Torrens hausse les épaules.

– Je ne comprends rien à ce que tu racontes, mon vieux. Tu vas rester pour les surveiller. Je vais chercher les autres. Et que le Pho Ban soit réveillé quand je reviendrai.

Sur un signe de tête du voltigeur, la jeune femme s'est éclipsée.

– Oui, chef, femme partie chercher camarades.

Il se sert un autre bol de thé. Dehors les chiens continuent à aboyer. Il y a aussi des cris et des appels. Le village semble se réveiller. Torrens vérifie la sécurité de sa carabine et la met à la bretelle. Il prolonge sa station devant le feu réconfortant, ramasse encore une cigarette sur la pierre du foyer, l'allume avec une brindille et, comme à regret, ouvre la porte.

Au pied de l'échelle, dans la boue, des femmes, des vieillards, des enfants, attendent avec des torches de bambous. Malgré le crachin qui ne cesse de tomber, le bambou brûle avec de grandes flammes claires.

Torrens et sa bruyante escorte retrouvent Ty, sur la piste. Les seize porteurs avec leur chargement, Perrin difforme sous son poste radio, les trois blessés légers empêtrés dans leurs ponchos s'extirpent du ravin, et émergent entre les troncs des arbres qui luisent comme des colonnes de bronze à la lueur orange des torches. Les chiens aboient, les enfants rient, les femmes remplacent quelques hommes aux civières, les bambous rougeoient et grésillent sous la bruine, la jungle ruisselante scintille et la procession s'éloigne dans une atmosphère de kermesse. Le petit supplétif blessé à l'épaule se cramponne à Perrin pour ne pas tomber. En arrière, dans la nuit revenue, une voix appelle, inquiète :

— Chef, chef, c'est moyen la lampe ? Fusil pour moi tomber.

Torrens donne sa lampe à Ty.

— Il ne l'a pas encore retrouvé, quel abruti ! Va voir avec lui.

Le voltigeur, l'air satisfait, accueille Torrens du haut de l'échelle.

– Chef, Pho Ban, c'est réveillé.

D'autres femmes sont sorties et allument de grands feux. Des enfants courent en criant après les chiens et tapent dessus à coups de bâton sans parvenir à les faire taire. Les supplétifs déposent leurs civières, leurs sacs et leurs armes sous les paillotes. Des poulets et des cochons pris de panique se sauvent dans l'ombre mouvante des pilotis. Torrens monte l'échelle. A mi-hauteur, il se retourne.

– Les caporaux, à moi !

Deux supplétifs et Perrin sortent de sous les paillotes et se groupent au pied de l'échelle. Torrens reprend d'une voix lasse :

– On reste ici jusqu'à ce qu'il fasse jour. Faites monter tous les blessés chez le Pho Ban. Avec l'infirmier. Placez deux sentinelles. Une à chaque entrée du village. Vu !... Attention. Ty n'est pas rentré, qu'on ne lui tire pas dessus. Vous lui direz de venir me voir. Voilà. Et tâchez de dormir un peu.

– J'appelle Tango... Tao Tsaï, mon lieutenant ? demande Perrin.

Torrens ne répond pas tout de suite, il finit de gravir l'échelle, ouvre la porte et jette par-dessus son épaule.

– Non, dormez.

Le Pho Ban assis sur une natte, les jambes croisées, se gratte les cuisses. C'est un petit homme assez âgé, au teint gris et fripé, vêtu d'un pagne seulement. De grosses veines bleues courent sur ses tempes et ses bras. Bien qu'encore un peu endormi, il a l'air paisible et détendu. Dès qu'il voit Torrens, il le salue en joignant les mains et en baissant la tête. Le sous-lieutenant lui rend son salut et s'assoit en face de lui. Très souriant, le voltigeur insiste avec satisfaction.

– Pho Ban, c'est réveillé, chef.

Torrens déboucle son ceinturon et chasse les moustiques qui bourdonnent à ses oreilles.

– Demande-lui s'il y a beaucoup de Viets dans le coin.

Pendant que les deux Laotiens discutent, les premiers blessés arrivent portés par les supplétifs. La vieille femme les installe près du feu et retire leurs toiles de tente trempées. Torrens a du mal à garder les yeux ouverts, il retrouve ses cigarettes et en allume une.

– Chef, c'est lui dire : lui caporal 2ᵉ bataillon colonial, longtemps, longtemps, avant Japonais venir...

Le chef de village approuve en répétant, les mains jointes :

– Caporal, colonial...

– ... Maintenant lui Pho Ban, content faire le riz pour Français. Beaucoup content capitaine boire le choum. Lui c'est dire toi capitaine.

Le chef du village a débouché une vieille bouteille de Dubonnet et remplit deux petits verres d'un liquide transparent. Il tend un verre en répétant :

– Caporal, colonial.

Torrens prend le verre et le boit d'un trait. L'alcool très fort le réveille un peu. Il se gratte les mains et les avant-bras.

– O.K. Il est très aimable. Demande-lui pour les Viets.

Tous les blessés sont installés. L'infirmier et la vieille femme leur donnent du thé. Torrens les arrête d'un geste.

– Ne fais pas boire le sergent Roudier et donne trois paludrines au petit jeune.

Tout en palabrant, le Pho Ban a de nouveau rempli

les verres, il lève le sien en regardant Torrens pour l'encourager à en faire autant...

– Chef, lui dire, c'est moyen le riz cuit le matin. C'est dire toi beaucoup jeune, beaucoup fatigué. C'est moyen peut-être cinq femmes costaud porter camarades...

D'un coup de menton le voltigeur désigne les blessés.

– Lui beaucoup gentil, chef. Caporal colonial.

– Caporal colonial, reprend le Pho Ban avec un grand sourire et il sirote son verre à petites gorgées. Torrens, tassé sur lui-même, les yeux fermés tire sur sa cigarette.

– Dis-lui merci.

Il se penche en avant, attrape son verre et le vide, exaspéré par les piqûres de moustiques.

– Il faut que je dorme, mais je veux savoir s'il y a beaucoup de Viets dans le coin. Oui ou non. Demande-lui.

La réponse vient rapidement.

– Chef, c'est dire c'est beaucoup, beaucoup, trop beaucoup le Viet-Minh.

Torrens se dresse brusquement réveillé.

– Où ça ?

– C'est dire le Viet-Minh tout partout, marcher la grande piste. C'est marcher Louang Prabang.

Torrens est soulagé.

– Je sais, mais ici dans la montagne ? autour du village ?

– Pho Ban lui dire : pas connaître. Viet-Minh venir déjà ; Viet-Minh venir encore ? C'est pas connaître.

La jeune femme, pour chasser les moustiques, répand sur les braises quelques herbes sèches qui fument et dégagent l'odeur âcre des feuilles mortes qu'on brûle en septembre dans la campagne. Un supplétif apparaît à la porte avec une moustiquaire.

— Pour toi, chef.

Torrens bâille et soudain fronce le sourcil.

— Tu l'as portée jusqu'ici, depuis Luong Ba jusqu'ici?

— Oui, chef.

— Merci.

Le supplétif s'embrouille dans des explications.

— Camarade, c'est porter un encore. Le chef... le chef...

— Ton camarade a la moustiquaire de l'adjudant?

— Oui, chef.

— Tu lui diras de la laisser ici quand on partira.

— Oui, chef.

Torrens attend que le supplétif ait disparu pour lancer sa moustiquaire à l'infirmier.

— Tu mettras ça sur le sergent Roudier.

Il sort ensuite une petite bouteille de repellent [1] et s'en badigeonne les mains et la figure. Il s'allonge sur la natte, pose sa tête sur la crosse de sa carabine et ferme les yeux.

— Voltigeur, demande-lui si Tao Tsaï est tombé, demande-lui.

Torrens pousse un grognement endormi quand il entend la traduction de la réponse du Pho Ban.

— C'est pas connaître, chef.

1. Repellent : liquide pour se protéger des piqûres de moustiques.

Mardi 28 avril 1953, 05 h 45.

Les femmes du Pho Ban soufflent sur la braise pour ranimer le feu et faire cuire le riz. Le crépitement du bambou et la chaleur de la flamme réveillent Torrens. Il ouvre un œil et bondit sur ses pieds en demandant d'une voix angoissée :

– Quelle heure est-il ?

Il jette un coup d'œil sur son poignet et répète machinalement :

– Quelle heure est-il ?

Il va jusqu'à la porte et la pousse du pied. L'aube a une teinte verdâtre d'aquarium et des cataractes d'eau tombent du ciel uniformément plombé. Sous les paillotes, les sentinelles dorment roulées dans leurs ponchos autour des cendres des feux qu'elles avaient allumés dans la nuit.

– Debout, tout le monde debout. Perrin !

Quelques têtes ébouriffées émergent des paillotes.

– Perrin ! répète Torrens impatient en se mordillant l'ongle du pouce.

– Quoi, quoi ? Voilà, mon lieutenant.

La face hirsute et sale de Perrin apparaît dans l'encadrement d'une porte, au ras du plancher.

– Quelle heure est-il ?

– Ben, heu!... six heures, six heures moins le quart, mon lieutenant.

– Merci. Vérifiez que tout le monde se lève rapidement. Départ dans dix minutes. Les caporaux au rapport dans cinq minutes.

Torrens tourne le dos à la pluie et se passe la main sur le front. La fatigue chassée par ce réveil anxieux pèse de nouveau sur son visage aux yeux cernés, aux joues creuses, recouvertes d'un léger duvet. Il retire sa veste, fait quelques exercices d'assouplissement torse nu et sort son nécessaire de toilette en plastique. N'ayant plus d'eau dans son bidon, il le tend en l'agitant vers les deux femmes accroupies près du feu.

– Eau ? Avez-vous un peu d'eau ? Eau ?

Les deux femmes sourient et la plus âgée lui remplit un bol de thé. Torrens secoue la tête.

– Non. Eau ! Eau !

Devant leur incompréhension, il hausse les épaules.

– Après tout, pourquoi pas ?

Il boit une gorgée de thé puis trempe ses doigts dans le bol pour s'humecter les joues avant d'étaler sa crème à raser. Les deux femmes éclatent de rire et lui apportent en gloussant une bassine d'eau tiède. Du dehors arrive le bruit du remue-ménage du réveil et le chant des Marines que Perrin siffle avec ardeur. Un supplétif monte l'échelle. La pluie dévalant du toit rejaillit en gerbe sur son chapeau de brousse.

– Chef. C'est moyen prendre...

Torrens en train de se raser lève la tête.

– Qu'est-ce que tu veux ? Entre.

Le supplétif se met à l'abri du toit de chaume. Il hésite et cherche ses mots.

– Chef, c'est moyen prendre... Bordel dormir.

Ses yeux furètent partout et découvrent la mousti-quaire sur Roudier.

– Là !

– C'est ça le « bordel dormir » ! Laisse-le, c'est pas la peine de te charger inutilement.

– Oui, chef.

L'infirmier tourne endormi autour des blessés. Torrens rasé de frais s'essuie la figure avec son mouchoir, sort sa brosse à dents et son dentifrice.

– Comment va le petit jeune ?

L'infirmier sursaute, se précipite sur le petit supplé-tif et lui passe la main sur la figure.

– Beaucoup chaud, beaucoup malade, chef.

Torrens se lève et s'approche des blessés en se net-toyant énergiquement les dents. Ba Phalong, adossé à des sacs, a l'air mieux que la veille, ses yeux brillent et ses joues ont retrouvé un peu de couleur. Le pansement de son mollet a tenu, mais il est tout noir et répand une odeur douceâtre, écœurante. A côté de lui, immobile, les yeux gris profondément enfoncés dans les orbites sombres, le visage desséché, couvert de petites rides fines, envahi par une barbe de trois jours, Roudier mur-mure empâté :

– J'ai soif... mon lieutenant.

Torrens retire la brosse à dents de sa bouche.

– Il ne faut pas boire, Roudier. Il faut tenir encore un peu. Je pense que ce soir on sera à Tao Tsaï. Vous avez mal ?

Roudier ferme les yeux un instant, il répond lente-ment d'une voix terne, monotone :

– J'ai soif. Laissez-moi ici... Je veux plus être transporté... J'en ai marre d'avoir mal.

Ses yeux brillent maintenant, c'est la seule chose qui semble encore humide dans son visage déshydraté. Torrens désemparé se détourne, bafouille la bouche pleine de dentifrice : « L'infirmier va vous faire une morphine » et s'éloigne vers la porte pour cracher et se rincer.

Il prend sa veste, la secoue pour la défroisser, l'enfile et boucle soigneusement son ceinturon avant de retourner près des blessés. Le petit supplétif transpire, grelotte de fièvre, essaie de sourire, sort sa main de son poncho et agrippe la manche du sous-lieutenant. Il ouvre la bouche mais reste silencieux et des larmes coulent sur ses joues se mêlant aux gouttes de sueur.

Perrin et les deux caporaux arrivent avec fracas. Ils ont escaladé l'échelle à toute vitesse pour éviter de trop se faire mouiller par la pluie.

– Mon lieutenant. Ty n'est pas encore rentré.

Torrens détache la main du petit supplétif et se retourne exaspéré.

– Il ne manquait plus que ça. Qu'est-ce qu'il peut fabriquer, cet abruti ?...

Il se ronge l'ongle du pouce.

– ... Et le type qui avait perdu son fusil ?

– Il n'est pas rentré non plus, mon lieutenant.

Les trois arrivants attendent immobiles. Perrin, le chapeau de brousse à bords roulés sur les yeux, le treillis crasseux et fripé, se lisse les quelques poils qui lui ont poussé au menton en affectant un air désinvolte. Les deux Laotiens, un peu en retrait, sont plus propres. Ils se tiennent dans une attitude assez proche du garde-à-vous.

– Les sentinelles n'ont rien entendu ?

– Oui, chef.

– Elles ont entendu quelque chose ?

– Chef, sentinelles entendre rien.

Torrens pousse un petit grognement d'approbation.

– Ça m'aurait étonné. Tu as regardé comme ils montaient la garde... O.K. Tu vas former une patrouille. Cinq hommes et un F.M. On va remonter la piste jusqu'à l'endroit où on s'est arrêté cette nuit. Vu ! L'arbre en travers de la piste. On verra bien si on trouve quelque chose.

– Oui, chef.

– Bon. Exécution. Je te rejoins tout de suite.

Le caporal file vers l'échelle et on l'entend appeler des noms. Torrens se tourne vers l'autre Laotien.

– Le petit jeune, tu sais, le blessé à l'épaule, il ne peut plus marcher. Il va falloir le brancarder. Il faut absolument que le Pho Ban nous donne des porteurs. Hier, il m'a promis cinq femmes. Tu vois ça avec lui. Il a promis aussi un repas chaud ce matin. Je crois que les femmes sont en train de le cuire. Organise la distribution. Vu ?

– Oui, chef.

– Perrin, tu installes l'autre F.M. et quelques types en protection à l'entrée du village. On ne sait jamais.

– Oui, mon lieutenant.

Perrin part à son tour en courant. Torrens retourne près des blessés et inspecte rapidement ceux qu'il n'a pas encore vus.

– Infirmier, tu feras une morphine au sergent Roudier... et à celui-là. Les autres, tu les fais manger. Du riz, du thé. Donne encore trois paludrines au petit jeune.

Des cris, des bruits de galopade agitent soudain le village.

– Chef, chef, Ty c'est revenir.

– Oui, mon lieutenant, ça y est, Ty est rentré.

Torrens se précipite à la porte. Ty et un supplétif armé d'un fusil débouchent de la jungle sur la piste. Ils avancent lentement sous la pluie diluvienne et s'arrêtent au pied de l'échelle de la paillote du Pho Ban. Torrens fait signe au caporal de monter.

– Qu'est-ce qu'il t'est arrivé ?

Ty gravit l'échelle. Il a l'air épuisé, son chapeau de brousse, son poncho, son treillis n'ont plus de forme, complètement imbibés d'eau. Une boue jaune lui monte jusqu'aux genoux. Torrens le pousse près du feu et lui tend une cigarette.

– Alors ? Retire ta veste et sèche-toi un peu, on part dans cinq minutes.

– Merci, chef. Moi pas fumer.

Ty a un frisson et retire sa veste.

– Tu ne vas pas te mettre à faire du palu, toi aussi ! Infirmier !

– Oui, chef.

– Apporte le petit flacon de cognac.

Ty est tout près du feu, penché sur la flamme. Son pantalon fume. Avec une braise il essaye de faire tomber deux grosses sangsues noires qui sont collées à son flanc.

– Fusil beaucoup loin. Glisser beaucoup loin. Putain petit' bête !

Les deux sangsues ont décroché. Un peu de sang suinte des plaies. Ty ramasse les sangsues avec des baguettes et les jette dans le feu. Les corps noirs se tordent et grésillent dans les flammes.

– Pas moyen la lampe. Casser. Beaucoup pluie casser la lampe. Pas moyen rien voir. Attendre ce matin. Trouver fusil. Venir.

Il sort de sa poche la torche et la tend à Torrens qui essaie de la faire marcher sans succès.

— Ça c'est embêtant. Les piles doivent être mortes.

La vieille femme offre aux deux hommes des bols de thé, du riz et un peu de poulet. Torrens débouche le cognac que lui a apporté l'infirmier et en verse une bonne rasade dans le bol de Ty.

— Ça te fera du bien.

Il penche le flacon au-dessus du sien, hésite et finalement le rebouche sans se servir.

— Infirmier!

— Oui, chef.

— Attrape!

Il lance le flacon. Toujours endormi, l'infirmier réagit trop lentement et rate sa prise. Le flacon va percuter une crosse de fusil et se brise en morceaux.

— Espèce d'abruti!

Un caporal arrive, essoufflé, ruisselant de pluie.

— Chef, chef! Y en a quatre femmes et deux types. Cadeaux Pho Ban, porter camarades.

Torrens avale une dernière bouchée de riz et sort une cigarette.

— Deux types? Je croyais que les Viets avaient raflé tous les hommes.

— Quand c'est Viet-Minh venir, deux types déjà partir chercher le sel. Marcher quatre jours. Viet-Minh pas connaître.

— Vous avez tous mangé?

— Oui, chef, manger ça va.

— O.K. Alors fais descendre les blessés, on part.

— Oui, chef.

Torrens allume sa cigarette.

— Ty, avec les bonnes femmes et les deux pékins, on

89

va s'en tirer. Tu peux maintenant choisir trois voltigeurs. Prends-en un avec toi en tête et deux en arrière-
garde. On continue sur la piste. Choisis bien ta voltige,
hein !... parce qu'il y a peut-être du Viet... Hier il y en
avait.

– Oui, chef.

L'un après l'autre, les blessés sont transportés vers
l'échelle et disparaissent sous la pluie, pilonnés au passage par les torrents d'eau qui dévalent du toit. Deux
supplétifs confectionnent rapidement une civière pour
le petit paludéen. Torrens tire quelques bouffées de sa
cigarette, s'étire en bâillant, ramasse sa carabine et vérifie la sécurité. Au fond de la pièce, le Pho Ban s'extirpe
de sa moustiquaire et, toujours vêtu de son pagne,
s'approche en joignant les mains. Torrens fait quelques
pas à sa rencontre.

– Merci pour les porteurs et pour le repas. Merci.

Le Pho Ban, souriant, hoche la tête sans avoir l'air
de comprendre.

– Merci, caporal colonial.

Un sourire illumine la figure du vieux chef.

– Caporal colonial, caporal colonial.

Il s'étrangle presque de rire. Sa joie est communica-
tive et Torrens ne peut s'empêcher d'y participer. Le
Pho Ban l'accompagne jusqu'à la porte et lui fait un
geste large du bras gauche, une sorte de salut militaire
anobli.

– Ba Lu, mon pote, tu vas te farcir la radio et moi je
vais me farcir les pépées. Elles sont moches comme des
culs, mais je préfère voir un cul que ta sale gueule.

Perrin, les mains dans les poches, étudie avec intérêt

les quatre femmes réfugiées sous la paillote à côté des blessés. Il donnent un coup de coude à Ba Lu, s'approche sournoisement de la moins abîmée, une petite femme de trente-cinq ans déjà ridée, et lui fait un clin d'œil appuyé. Elle se retourne et il profite de sa stupéfaction pour lui pincer les fesses à pleines mains. La femme pousse des cris perçants et se réfugie parmi ses compagnes.

— Qu'est-ce qu'il y a?...

Torrens descend l'échelle et constate l'air satisfait de Perrin et le rire complice de Ba Lu.

— Qu'est-ce que vous avez encore fabriqué, Perrin?

— Ben, rien, mon lieutenant. J' lui ai donné une poignée de bonheur, quoi!

— Oui, eh bien, ce n'est pas le moment de faire le malin. On a besoin de ces gens-là jusqu'au prochain village et vous allez leur ficher la paix. Vu?

— Oui, mon lieutenant.. Vous savez, c'était pour rigoler.

Torrens hausse les épaules et sort sous la pluie.

— Allez, en route!

L'une après l'autre, les cinq civières abandonnent l'abri des paillotes. Perrin attache les sangles de son poste radio et se glisse dans la colonne en chantonnant :

— Dans l' Bois d' Saint-Cloud — Les p'tites filles ont des p'tits trous — Les p'tits garçons des p'tits bâtons — Pour jouer à la bloquette.

Les derniers, les deux voltigeurs de l'arrière-garde quittent le village accroché sur ses pilotis au flanc de la montagne. Le ciel est toujours immuablement gris. En quelques minutes la pluie a transpercé tous les ponchos. La piste n'est plus qu'un torrent entraînant des feuilles et des branchages qui s'accumulent à chaque aspérité pour brusquement se détacher sous la poussée de l'eau. Perrin continue sa petite chanson :

— Le tien fait lever le mien — Le mien fait mouiller le tien — Le tien, le mien, le nô-ôtre — S'enfilent l'un dans l'au-au-tre...

Mardi 28 avril 1953, 11 h 00.

La montagne tout entière a disparu dans les nuages et la colonne baigne dans une humidité grise. Il ne pleut plus mais les arbres laissent encore dégoutter l'eau qui charge leurs feuilles. La piste trop raide n'offre aucune prise. Ty et le voltigeur ont mis leurs mitraillettes à la bretelle et taillent au coupe-coupe des marches dans la pente détrempée. Derrière eux monte le piétinement sourd et ouaté des porteurs. Parfois l'haleine tiède de la végétation putréfiée repousse la brume et les cinq civières émergent un instant de la grisaille. La progression est très lente. Pour compenser la pente, les deux porteurs avant tiennent leur civière à bout de bras, le plus bas possible, les deux autres au contraire la font reposer sur leurs épaules ; les blessés ne sont quand même pas horizontaux et, à chaque secousse, ils glissent un peu. Les quatre femmes prêtées par le Pho Ban, trop faibles, ont dû être remplacées. Le poste radio divisé en deux parties leur a été confié. Torrens, Perrin et les deux voltigeurs d'arrière-garde ont pris leur place. Le sac à dos et la crosse des fusils couverts par le poncho donnent une étrange allure difforme aux supplétifs écrasés sous leurs charges. Ils ne parlent pas; ils ahanent comme des bêtes, grimpent de quinze ou vingt pas et s'arrêtent. Des sangsues vertes se laissent tomber des feuilles où elles attendent et cherchent à se glisser dans leurs cols ou leurs manches, les fines gouttelettes en suspension dans l'air se condensent sur leurs figures en une sueur froide, leurs chaussures de brousse engluées de boue se posent avec précaution sur les marches glissantes, en tâtent la solidité, leurs mains agrippent les lianes et les branches. Le sol s'effondre, jute comme une éponge écrasée, les pieds dérapent, mais centimètre par centimètre la colonne avance.

Un blessé léger, le bras serré dans un bandage, glisse, essaie de se rattraper à une branche, perd l'équilibre, jure, roule sur la pente et fauche comme des quilles les porteurs des deux dernières civières. Une avalanche de fusils, de blessés, de supplétifs pêle-mêle dévale la piste transformée en tobogan et s'évanouit dans la brume. Les porteurs des trois autres civières se sont arrêtés; hébétés, ils entendent un moment le fracas de la chute, puis le silence revient et brutalement un long hurlement de douleur éclate. A la limite de la visibilité, une ombre floue se relève et reste immobile.

Torrens est le premier à réagir. Il cale sa civière contre un arbre et appelle l'infirmier. Un caporal répond :

— Lui casser la gueule, chef.

Ty et son voltigeur, le coupe-coupe à la main, sortent de la brume et descendent vers le sous-lieutenant. Le hurlement reprend sur un ton plus grave.

– Si ce type a la jambe cassée, je ne sais pas ce qu'on va faire, marmonne Torrens. C'est encore loin ton sommet ?

– Oui, chef. Peut-être cinquante mètres, c'est fini, répond Ty.

– Bon. On ne peut pas rester là. Tu vas escorter les trois blessés là-haut et tu redescends me chercher avec quatre types. Je vais voir là-bas ce qui se passe.

Pendant que les trois civières reprennent l'escalade, sous la direction de Ty, Torrens descend rapidement la piste, et ramasse deux fusils et un chapeau de brousse épars. Le hurlement reprend régulièrement mais il est moins fort et ressemble de plus en plus à un râle douloureux. Des ombres grises s'agitent devant Torrens, se précisent et il distingue sept ou huit supplétifs accroupis autour d'un corps.

– Qu'est-ce qu'il a ?

Perrin se retourne et manque de glisser, il se cramponne à une souche.

– Une jambe cassée, j' crois, mon lieutenant.

Torrens fait une grimace significative.

– On est fichu. Qui est-ce ?

– Machin, là, My, un rombier à Roudier qu'a eu deux balles dans la cuisse à Pak La.

Torrens pousse un soupir de soulagement.

– Ah bon ! Ça va alors. Personne d'autre ?

– Non, j' crois pas, mon lieutenant. Quelle patinoire à la con !

Le blessé est couché sur le côté, coincé contre des racines ; il tient sa jambe droite à deux mains, sa bouche s'ouvre pour hurler, mais quand il voit le sous-lieutenant, il gémit.

– Chef, c'est beaucoup mal.

Torrens abandonne les deux fusils et s'appuie sur les épaules des supplétifs pour ne pas tomber.

– Où est l'infirmier ?

– Il a dégringolé un peu plus bas. Il arrive.

– Remonte avec l'autre blessé. Le sommet n'est pas loin, peut-être cent mètres.

– Bien, mon lieutenant.

Perrin se lève, fait signe à trois porteurs et tous les quatre se laissent glisser dix mètres plus bas pour récupérer le petit paludéen sur la deuxième civière. Torrens examine la jambe cassée. A côté des deux trous noirs qui recommencent à saigner, la peau est déchirée. L'os brisé sort de la plaie couverte de brindilles de boue et de débris de pansement. My tient ses deux mains en écran au-dessus et refuse d'écarter les doigts. L'infirmier arrive, essoufflé et boueux. Une profonde entaille saigne à son front.

– Passe-moi une syrette de morphine. Je te nettoierai ça tout à l'heure.

L'infirmier frotte rapidement son arcade sourcilière pour arrêter le sang qui risque de lui couler dans l'œil, fouille dans sa musette et sort la seringue d'étain. Il veut retirer le capuchon qui protège l'aiguille, mais Torrens l'arrête.

– Donne-moi ça, tu as les mains trop sales.

Perrin et les trois porteurs du petit supplétif remontent. La piste est si étroite qu'ils doivent attendre que Torrens ait fait la piqûre pour l'enjamber et continuer leur ascension. Sous l'influence de la drogue, le blessé se détend et Torrens lui desserre les doigts, remet l'os à peu près en place et lui immobilise la jambe par des attelles sans le faire trop crier. Ty et ses quatre hommes arrivent juste pour aider à hisser la civière jusqu'au sommet.

Les supplétifs sont affalés dans l'herbe haute le long de la piste. Les quatre femmes ont allumé un feu et font chauffer du thé. Torrens se laisse tomber à terre, sort une cigarette, mais attend d'avoir repris son souffle pour l'allumer.

– On fait une halte. Une demi-heure. Regarde ta montre, Perrin. Tu as placé des sentinelles, Ty ?

– Faire maintenant, chef.

– Ce n'est pas sérieux, mon vieux, ce n'est pas sérieux. Tu aurais dû le faire en arrivant. Place-les à cent mètres.

– Oui, chef.

Ty, confus, va botter les côtes des voltigeurs pour les faire lever plus vite. Torrens s'allonge dans l'herbe mouillée. Son treillis déjà trempé boit encore l'humidité du sol. Il frissonne, se relève et va s'asseoir près du feu des femmes. Les supplétifs, réconfortés par la perspective d'une demi-heure de repos, sortent de leurs sacs les boules de riz cuit et les boîtes de sardines à la tomate. Perrin renifle son riz avec dégoût et le fait sentir à Ba Lu.

– Il a aigri on dirait ?

Ba Lu le goûte.

– Ça va, manger quand même.

Puis il éclate de rire.

– Peut-être demain la chiasse.

Perrin hausse les épaules et va s'installer près du feu en chantant :

– La France est nô-ô-tre mère – C'est elle qui nous nourrit – Avec des pô-om-mes de terre – Et des fayots pourris... Attention, mon lieutenant, vous avez une sangsue dans le cou.

Torrens passe la main sous le col de sa veste et sent

sous ses doigts le corps caoutchouteux et froid. Il fait une grimace et tire dessus pour l'arracher.

– Touchez pas, touchez pas, laissez-moi faire.

Perrin allume une cigarette et l'approche tout près de la petite bête.

– Y faut leur chauffer les miches à ces salopes, sans ça elles ont un truc qui fait que le sang coule toujours.

La sangsue lâche prise et tombe par terre. Perrin applique dessus le bout brûlant de sa cigarette et s'amuse à la regarder se tortiller.

– C'est une verte, celle-là. Y a pas pire. Je m' demande ce qu'elles peuvent bouffer quand on n'est pas là.

L'infirmier apporte à Ba Phalong un quart de thé. Le blessé sort de sa torpeur, boit une gorgée, repousse le quart et appelle lentement.

– Roudier... Roudier, viens.

La voix est curieuse. Roudier allongé sur sa civière ouvre les yeux. La voix reprend, angoissée :

– Roudier, viens.

Le sergent réussit à se rouler sur le côté.

– Ba Phalong, ça va pas ?

Le blessé tourne la tête, son teint est terreux et ses yeux étrangement fixes. Il bafouille quelque chose et s'irrite de n'être pas compris. Un supplétif dévorant son riz explique la bouche pleine.

– C'est vouloir piquer, sergent.

– Dis au lieutenant de venir, vite.

Roudier cherche la main de Ba Phalong et parle très doucement, détachant chaque mot.

– Le lieutenant va te piquer. On est parti le chercher. Tu vas voir, ce soir on sera à Tao Tsaï et demain

98

un avion va venir nous chercher et on ira à Louang Prabang. On a de la chance, les autres vont continuer à faire la piste. En sortant de l'hôpital, tu m'emmèneras en permission dans ton village. On ira voir les filles, les jolies Pouh Sao. Tu te rappelles...!

Ba Phalong est dans le vague, il ne semble guère écouter, mais à chaque phrase il répond quand même par un grognement. Torrens arrive. Roudier le tire par sa veste et murmure :

– Faut lui faire une piqûre. Il est en train de mourir.

Torrens jauge le blessé, ses yeux mats, son teint verdâtre.

– Ça ne servira à rien.

Roudier a un geste d'agacement.

– Bien sûr. C'est pour lui faire plaisir.

– Bon, je vais lui faire un solucamphre.

Ba Phalong articule péniblement :

– Fumer.

Roudier lâche sa main, sort un paquet de cigarettes protégé de l'humidité dans une capote anglaise, en allume une et la lui met dans la bouche.

– Tu verras quand on en aura assez des filles on repartira en poste. Tu seras toujours dans mon groupe. Fusilier-voltigeur... Tu vas avoir une médaille...

Il ne sait plus très bien quoi raconter pour distraire le blessé de son angoisse. Ba Phalong ne tire pas sur sa cigarette, il la tient serrée entre ses lèvres. Quand Torrens lui pique le bras, il la laisse échapper. Sa bouche reste entrouverte et il n'arrive plus à la refermer.

Près du feu, les supplétifs plaisantent en mangeant leur riz. Encouragé par les éclats de rire de Ba Lu, Perrin donne des leçons de français aux femmes.

— Bite au cul... Main au panier...

La cigarette fume sur le sol. Ba Phalong ne cherche pas à la ramasser, les traits amollis, la bouche ouverte, il respire par petites bouffées bruyantes de plus en plus courtes. Roudier se laisse retomber sur sa civière, son visage desséché se ferme. Gêné par le regard du sous-lieutenant, il cache ses yeux gris derrière sa main. Torrens se détourne vers Ba Phalong, mais Ba Phalong est mort.

La petite fumée bleue de la cigarette monte toute droite. Torrens tire le poncho sur la tête du soldat, découvrant la jambe blessée et se lève. L'odeur douceâtre de la blessure se répand dans l'air humide. Près du feu, les supplétifs se sont tus. Ty approche en souriant.

— Moi c'est connaître femme lui. Moi c'est dire lui mort quand c'est aller village! Où ça mettre dans la terre, chef?

Torrens reste un moment silencieux.

— Fais creuser une tombe. Là. Sur le bord de la piste... Tu diras à Perrin de lui faire une croix.

Puis il s'accroupit à côté de Roudier, écoutant le bruit que font les supplétifs en creusant la terre.

— Vous le... Il était de votre groupe?

Roudier ne bouge pas. Ses yeux restent perdus dans le vague. Il passe sa langue sèche sur ses lèvres pour essayer d'attraper quelques gouttes de condensation du brouillard.

— Il avait peur. Moi aussi je vais mourir... J'ai soif.

Le corps de Ba Phalong est roulé dans une toile de tente. Torrens dispose ses hommes devant la tombe. Ils sont tous là, sauf les sentinelles, silencieux, alignés sur deux rangs dans leurs treillis boueux couverts des petites taches noires du sang des morsures de sangsues. Près du feu les femmes se sont levées. Roudier est allongé immobile, les autres blessés sont appuyés sur leurs coudes pour voir. La brume sale et le silence pèsent sur la jungle.

— Présentez... Armes!

Les mains claquent sur les crosses du fusil. Torrens sort de sa poche le drapeau du poste encore tout humide et chiffonné et l'étale sur la toile de tente. Il recule de quelques pas et salue, puis il baisse la tête, tousse pour s'éclaircir la voix et cherche ses mots.

— Ba Phalong qui est... qui repose ici était un bon soldat. Nous ne l'oublierons pas.

Il relève la tête, son regard se pose sur le corps puis sur les hommes.

— Je... Nous n'avons pas de drapeau laotien pour le couvrir, mais ça ne fait rien : c'est un beau drapeau. Et puis nous sommes tous ensemble dans le même combat, alors voyez-le aux couleurs du Laos. Voilà.

Quatre supplétifs prennent Ba Phalong et le déposent dans la fosse. Torrens un peu rouge se tourne vers Ty. Son regard reste obstinément baissé mais sa voix est claire.

— Faites reposer les armes. Départ dans trois minutes.

Il tourne le dos et s'éloigne dans la brume.

Sur sa civière, Roudier a fermé les yeux.

Mardi 28 avril 1953, 15 h 00.

Une petite brise tiède, chargée d'une maigre odeur d'automne a dissous la brume. Seules quelques volutes sales s'accrochent aux lignes de crête. Le soleil n'arrive pas encore à percer complètement le ciel blafard. Il répand une lumière sans ombre, dure et impitoyable sur la vallée dénudée. La colonne se traîne avec lassitude. Les quatre civières oscillent au rythme endormi de la marche. Les supplétifs amorphes et silencieux suivent tête basse la piste qui n'est plus qu'un vague tracé dans l'herbe drue. Machinalement, ils mettent un pied devant l'autre, l'œil vide, sans rien voir que le dos de leurs camarades et la ligne de terre molle dans l'herbe foulée. Ils ont roulé leurs ponchos sur les sacs et leurs treillis fatigués commencent à sécher par plaques grises. Deux femmes se partagent toujours le poste radio, les deux autres avancent avec les blessés légers et les voltigeurs d'arrière-garde. Torrens a remplacé un supplétif épuisé à la civière du petit paludéen. Il s'est laissé distancer d'une centaine de mètres, l'air buté, il essaie d'accélérer la marche des trois autres porteurs pour rattraper la colonne.

En tête, Ty et son voltigeur abordent le torrent. Depuis un moment déjà son grondement dominait tous les bruits, mais il restait invisible, dissimulé par les roseaux hauts et touffus qui poussent sur ses berges. Le voltigeur jette un regard las sur l'eau grise bouillonnant contre les rocs et s'affale dans l'herbe. Sans conviction, Ty erre à droite et à gauche, écarte les tiges de roseaux, scrute la rive d'en face pour essayer de découvrir des traces de la piste. Il finit par s'asseoir sur un rocher, les pieds ballants. Derrière eux, la colonne s'amasse peu à peu contre l'obstacle, les porteurs déposent leurs civières et se laissent choir à leurs pieds, sans même chercher un endroit confortable pour s'étendre. Quand Torrens arrive, certains dorment déjà, la bouche ouverte.

Il pose la civière et reste assis quelques secondes pour souffler, puis se relève avec une grimace et rejoint Ty en enjambant les corps.

– Qu'est-ce qu'il se passe?

– La piste c'est fini chef!

Torrens fait un effort pour ne pas laisser exploser sa mauvaise humeur. Sa voix est coupante.

– Tu vas traverser en vitesse. Avec trois voltigeurs. Tu les placeras en protection à cinquante mètres. Vu?

Ty se met péniblement debout les yeux lourds de sommeil. Il bafouille.

– Oui, chef.

Torrens esquisse un sourire et lui met la main à l'épaule.

– Allez mon vieux, secoue-toi un peu. Ta piste, tu la retrouveras de l'autre côté.

Du canon de sa mitraillette le caporal désigne trois hommes et pénètre dans le torrent. Le courant très fort le fait trébucher et il cherche son équilibre, les bras écartés comme un danseur de corde. Pendant presque tout le parcours, il n'a de l'eau que jusqu'aux genoux, mais, arrivé à quelques mètres de l'autre rive, il enfonce brusquement jusqu'à la taille et manque de perdre son arme. Les trois voltigeurs suivent, indolents. L'eau froide les réveille un peu, ils s'aident des rochers pour grimper rapidement sur la berge et disparaissent derrière les roseaux. Au-delà de cet écran émerge à contre-jour dans la lumière blanche une chaîne de pitons calcaires couverts de jungle noire. Torrens se retourne, l'autre flanc de la vallée lui apparaît vide et désolé avec ses croupes, ses ravinements et ses crêtes embrumées. Il s'approche des premiers porteurs vautrés sur leurs sacs.

– Debout. On va essayer de passer.

Avec des gestes lents d'automates, les quatre supplétifs abrutis de fatigue se lèvent et ramassent la civière de Roudier. Prudemment, ils pénètrent dans le torrent. Ils marchent les jambes écartées, le bras libre battant l'air pour faire contrepoids, s'arrêtent après chaque pas, se cramponnant aux rochers pour ne pas être emportés. Ty réapparaît entre les roseaux. Il met ses mains en porte-voix et hurle pour se faire entendre malgré le fracas :

– Chef, la piste c'est bon.

Torrens hoche la tête. La civière est en difficulté. Les porteurs de tête penchés en avant réussissent à atteindre un gros rocher luisant qui disparaît parfois sous l'écume et à s'y accrocher. Les deux autres titubent dans les tourbillons avec des gestes brusques et dérivent lentement. Torrens voit leur bouche s'ouvrir pour appeler. Le bouillonnement effleure la civière. Roudier y plonge plusieurs fois les mains et boit furtivement l'eau qu'il peut ramener dans le creux de ses paumes. Torrens se jette dans le courant en hurlant.

– Roudier! Vous êtes fou! Cessez immédiatement!

Il se retourne vers la berge.

– Tout le monde à l'eau. On va former une chaîne, sans ça ils n'y arriv...

Il tombe pour la plus grande joie des supplétifs et est entraîné sur une dizaine de mètres avant de se relever écumant.

– Tout le monde à l'eau! Dépêchez-vous!

Les supplétifs hilares se lèvent et une dizaine d'entre eux se portent au secours de la civière en discutant à n'en plus finir. Une chaîne est lentement formée à laquelle s'épaulent les porteurs pour continuer leur traversée. Torrens trempé et furieux remonte jusqu'à Roudier.

– Ce n'est pas la peine de se crever à vous porter si vous...

Mais le regard gris du sergent, immense dans son visage creux mangé par une barbe sale, l'adoucit.

– ... Il faut tenir encore un peu mon vieux.

Roudier ferme les yeux et répond d'une voix humble :

– J'ai bu juste une gorgée... toute petite.

Avec les deux hommes du Pho Ban et Ba Lu, Perrin a chargé la deuxième civière. Il pénètre dans l'eau froide en maugréant.

– Les vaches! Y z'ont buté Gégène!

Grâce à la chaîne des supplétifs le passage est relativement facile. Les deux blessés légers suivent sans incident pendant que la première équipe de porteurs retraverse pour chercher la troisième civière. Après quelque hésitation, les femmes bouclent les sangles du poste radio et se lancent à leur tour. Perrin fait des gestes frénétiques pour les arrêter et se précipite à leur rencontre, jetant au passage à Torrens :

– J'vais pas leur laisser mon poste à ces conasses, elles vont le foutre à l'eau.

Il récupère son bien et une des femmes va le remplacer à la quatrième civière, celle du petit paludéen. A mi-chemin, la femme glisse et se mouille jusqu'à la taille. Perrin ricane.

– Alors, ma p'tite pépée, on se fait barboter la tirelire à moustache ?

La femme crispée fait encore quelques pas et perd brutalement l'équilibre. Elle se raccroche instinctivement à la civière et l'entraîne dans sa chute Les trois autres porteurs se cramponnent à la chaîne de supplétifs. Le choc est tel que la chaîne se brise, les porteurs lâchent prise et sont entraînés par le courant. La civière et son blessé à demi submergé dérivent rapidement puis un remous la fait chavirer et disparaître. Tout s'est passé si rapidement que Torrens, enfoncé dans l'eau jusqu'aux genoux, n'a pas le temps d'intervenir. Les têtes émergent de l'écume et l'un après l'autre les hommes agrippent des rochers et se relèvent. Sur la berge, quelques supplétifs foncent à travers les roseaux. Ils voient défiler la civière disloquée, vide, et réussissent à repêcher la femme. Aucune trace du petit paludéen. Ils étendent la femme suffocante. Elle a une légère coupure au front, son chignon est défait et ses longs cheveux noirs sont répandus sur sa figure comme des algues, se mêlant au sang. Dès qu'elle retrouve sa respiration, elle se met à pleurer à gros sanglots.

Ty et Perrin toujours équipé de son poste radio fouillent encore la rive, les autres sont échoués sur l'herbe comme des épaves. Torrens enlève le chargeur de sa carabine, le vide de ses balles et essuie soigneusement l'arme avec un chiffon gras. Ty revient et lui désigne un supplétif inquiet et souriant.

– M.A.T. 49 lui c'est perdu. Thit Peng, foutu, ajoute-t-il, après un silence.

– Qui ça?

Ty a un mouvement de tête vers le torrent.

– Thit Peng.

– Ah! Thit Peng, il s'appelait Thit Peng...

Torrens reste un moment rêveur, les restes de son paquet de cigarettes complètement imbibé d'eau à la main.

– On part...

Il a un ricanement amer et jette le paquet.

– Tu peux prendre trois voltigeurs en tête maintenant. Et quant à cet abruti qui a perdu sa mitraillette, tu... non, on verra ça plus tard.

La colonne de trois civières se forme. Le soleil apparaît dans un morceau de ciel bleu et inonde la vallée de sa lumière chaude.

Mardi 28 avril 1953, 18 h 30.

— Le jardin la nuit sous la neige... sans épaisseur. La boule blanche est cassée.

Depuis une heure Roudier délire d'une voix monotone. Quelques mots émergent avec netteté de son monologue confus. Régulièrement il se contracte et retient son souffle. On peut suivre dans son regard la progression de la pointe de la douleur, puis le spasme passe et il s'amollit. De nouveau, sa tête ballotte au cahot de la marche, il halète, la bouche ouverte, en grognant de soulagement. Une fois, il semble sortir de son inconscience. Il s'appuie sur un coude et sa main serre fortement le poignet du porteur à côté de lui.

— Il faut dire à l'adjudant... Je dois cent vingt-cinq piastres à Ba Phalong. Il les donnera à sa femme. Cent vingt-cinq piastres hein!... Dire à l'adjudant.

Un spasme le rejette crispé sur la civière et il reprend ses litanies incompréhensibles.

L'air est doux et limpide comme un matin de printemps. Le ciel est bleu, quelques gros cumulus se boursouflent encore dans le nord. Le soleil bas dore les calcaires. Les supplétifs engourdis avancent par inertie sur la piste large et facile à travers la jungle clairsemée.

L'infirmier remonte la colonne et rattrape Torrens.

— Chef! Chef!

Le sous-lieutenant se retourne sans cesser de marcher et demande d'une voix morne :

— Qu'est-ce que tu veux ?

— Sergent beaucoup parler connerie. Chef, lui mort, peut-être une heure, peut-être demain.

Torrens ne répond rien, il continue à marcher mécaniquement. La fatigue a gravé deux petites rides aux commissures de ses lèvres. Son treillis est presque sec; seule, une ceinture sombre d'humidité en marque la taille.

— Tu as des pilules pour la colique ?

— Pas connaître, chef.

— Comment pas connaître! la colique. La chiasse, quoi.

L'infirmier fouille dans sa musette, sort un tube d'antérovioforme et le met dans la main tendue devant lui.

— Tiens, chef.

Torrens glisse une pilule entre ses dents, prend son bidon et boit une gorgée pour la faire passer. Un peu d'eau lui coule sous le menton. Il avance encore de quelques pas et sort de la piste.

— Continuez, continuez sans moi. Je vous rattraperai.

Les supplétifs immédiatement derrière lui hésitent, cassant le rythme de la marche, mais ne s'arrêtent pas. Torrens s'éloigne dans la jungle et va s'accroupir derrière un gros taillis, hors de vue de la colonne.

La piste débouche sur une petite rivière sinueuse.

Les voltigeurs entendent des cris et des rires aigus. Silencieusement ils se coulent entre les bouquets de bambous et s'arrêtent. A vingt-cinq mètres une crique apparaît entre les feuilles. Une dizaine de gosses tout nus pataugent en criant de joie. Le soleil jaune miroite dans les éclaboussures et cuivre les petits corps luisants. Quelques vieilles femmes jacassent accroupies sur les galets de la rive. Un peu plus loin deux jeunes filles entrent lentement dans la rivière, relevant leur sinh [1] pour ne pas le mouiller, découvrant, à mesure qu'elles enfoncent dans l'eau, une mince bande de leur ventre lisse.

Les voltigeurs tapis derrière les bambous échangent des clins d'œil égrillards. La plus jolie des baigneuses, plongée jusqu'aux épaules, plie son sinh et le dépose sur sa tête, puis elle se frictionne en chantant une mélodie acide. Ses petits seins bronzés apparaissent parfois, brillant dans le soleil.

Les vieilles femmes accroupies lèvent la tête au bruit que fait la colonne en arrivant à la hauteur des voltigeurs. Elles ouvrent la bouche de stupéfaction à la vue des soldats mal dissimulés dans la jungle et poussent des glapissements affolés. Les deux jeunes filles bondissent hors de la rivière serrant pudiquement leurs sinh sur leur ventre. Ty dévale jusqu'à la crique et brandit sa mitraillette pour calmer l'agitation.

Derrière son taillis, Torrens a entendu les cris. Il remonte en vitesse son pantalon, ramasse sa carabine et court en bouclant son ceinturon. Quand il arrive essoufflé, le calme est revenu. La plupart des supplétifs sont avachis sur la piste à côté des civières, très peu d'entre eux ont rejoint les voltigeurs dans les bambous.

1. Sinh : sarong laotien.

Au bord de la crique, Ty a remis sa mitraillette à l'épaule. Il discute avec les vieilles femmes, entouré des gosses tout nus qui se chamaillent pour être plus près de lui.

— Est-ce qu'il y a du Viet ?

La voix forte de Torrens surprend tout le monde. Les enfants le montrent du doigt en criant joyeusement.

— Phalang ! Phalang !

Les femmes font de grands laïs.

— Oui, chef. C'est venir ce matin deux types... Demander : où ça Français. Pho Ban dire : bou mi Français. Viet-Minh partir déjà. Elle fille Pho Ban...

Ty désigne la jolie baigneuse qui essaie d'enfiler discrètement son sinh sans trop s'exhiber.

— ... connaître parler français.

Perrin et Ba Lu au premier rang des voltigeurs ne la quittent pas des yeux.

— Elle est vachement gironde la petite salope... Perrin fait un geste obscène pour appuyer sa pensée.

— ... J'lui en pousserais bien une paire par derrière, mais j'vais encore me faire napalmer par le lieut'. Les vaches !

Ba Lu ricane.

— C'est pas moyen. Elle tout neuf, jamais cassé.

— Tiens, t'as qu'à croire. Et ta sœur !

— Remonte sur la piste, Ty. Avec tout le monde. On va se reposer un moment dans le village, commande Torrens avant de quitter les bambous pour retourner vers la colonne.

Les cheveux noirs collés par la sueur, la peau luisante, les supplétifs se sont vomis sur la piste, là même où leurs derniers pas les ont menés. Comme un troupeau de clochards, ils sont écrasés en tas misérables, dans leurs treillis sans forme, au milieu de leurs armes encore couvertes de chiffons gras pour les protéger de l'humidité. Roudier a repoussé sa toile de tente et découvert son pansement sale aux taches brunes de sang coagulé. Il agite doucement la tête en grognant. Sa peau parcheminée, ses grands yeux dans son visage osseux, ses lèvres sèches retroussées sur ses dents jaunes lui font déjà une tête de mort. Quand Torrens se penche sur lui, son regard gris se charge d'angoisse et il retombe dans son délire.

– Ne me touchez pas. Ne me touchez pas... La boule blanche est cassée, la boule blanche. Le jardin tout noir. Et la neige. Pas beaucoup. Un peu de neige...

Les deux autres blessés dorment enfouis dans leurs toiles de tente comme des momies. Une volée d'enfants piaillards déferle sur la piste. Ils enjambent sans timidité les supplétifs et les civières, observant tout de leurs yeux de chat et s'accroupissent autour des fusils-mitrailleurs sans oser les toucher. Ty et les femmes les suivent. Le caporal pousse la fille du Pho Ban vers Torrens. Son sinh mouillé épouse comme une peau la forme de son corps, colle à ses cuisses fermes soulignant son pubis bombé. Ses petits seins libres, au fléchissement à peine marqué, oscillent sous l'étoffe humide au rythme de sa marche. Ty répète, très fier :

– Elle connaître parler français.

La jeune fille s'arrête un peu intimidée, les yeux baissés. Ses lèvres gonflées esquissent le sourire indéfinissable de Bouddha. Perrin, Ba Lu, tous les supplétifs la dévorent des yeux.

Elle hésite un peu, joint les mains, articule lentement : « Bon-Jou, Meuh-sieu », et se cache la figure en pouffant. Les vieilles Laotiennes éclatent de rire.

Ty claironne :

— Connaître parler français ! Connaître parler français !

Les enfants abandonnent les fusils-mitrailleurs pour se mêler à l'euphorie générale. Torrens, amusé, incline cérémonieusement la tête et répond :

— Bonjour, mademoiselle.

Les manifestations de joie des femmes redoublent, soutenues par les cris des enfants. Un groupe d'hommes torse nu, qui se baignaient en amont, arrive sur la piste et reste à distance respectueuse.

Torrens cesse de sourire, et se comprime le ventre à deux mains.

— Ty, tu vas embaucher tous ces pékins pour porter les civières jusqu'au village.

Il a un regard désabusé vers les supplétifs.

— Halte d'une heure. Je te rejoins tout de suite... Et n'oublie pas les sentinelles, hein ! Perrin, donne-moi deux feuilles de ton carnet de messages.

Perrin a ramené sur ses yeux son chapeau à bords roulés. D'un pas feutré de rôdeur de barrières, il s'est approché tout près de la fille du Pho Ban et la détaille sans pudeur, fasciné par ses épaules nues, polies comme des galets, par ses fesses drues, moulées dans l'étoffe collante qui s'enfonce dans la raie médiane. Il sort distraitement son carnet et un crayon et les tend. Torrens a un rire bref.

— Tu peux garder ton crayon.

Il arrache quelques feuilles et les fourre dans sa poche.

— Tiens ! Reprends tout ça. Installe ta radio dans le village et tâche d'accrocher Tao Tsaï.

Sous les insultes de Ty, les supplétifs se relèvent en

114

grognant. Les paysans torse nu se chargent des civières et la colonne repart, précédée par l'escorte joyeuse des femmes et des enfants. Torrens s'enfonce dans les broussailles.

A l'est le ciel est devenu vert. Un dernier rayon de soleil orange éclabousse la crête des calcaires. La brume humide du soir se mêle aux fumées bleues qui s'échappent du toit des paillotes. Tous les villageois sont rangés à l'entrée de la piste pour regarder l'arrivée des soldats et s'interpellent bruyamment entre eux. Le Pho Ban accourt et rétablit le silence. Il s'entretient un moment avec Ty et donne ses ordres d'une voix tonitruante. Quelques femmes s'éloignent pour préparer du riz. Aboyant et criant d'excitation, les chiens et les enfants se répandent sous les pilotis et pourchassent les poulets affolés parmi les cochons noirs. Dans une envolée de plumes, ils en attrapent cinq. Des femmes les décapitent d'un coup de machette, les plument, les vident, les lavent et les découpent en petits morceaux qu'elles jettent dans des casseroles sur le feu.

Comme la mouche du coche, le Pho Ban, très agité, va et vient d'un groupe à l'autre et harcèle ses gens. Les supplétifs et les blessés légers, harassés, retirent leurs chaussures de brousse boueuses, puisent avec des louches de bambou l'eau des touques placés près des échelles et s'aspergent les pieds. Ils se hissent ensuite dans les paillotes, traînant leur barda et leurs armes et vont se vautrer béatement sur des nattes. Des jeunes filles curieuses, timidement serrées les unes contre les autres, les observent furtivement et rient sous cape de leurs plaisanteries. L'infirmier, accroupi par terre, attend à côté des trois blessés graves immobiles sur leur civière. Perrin et Ba Lu ont suivi la fille du Pho Ban, les yeux rivés sur la houle de sa démarche et se sont arrêtés sur une sorte de véranda devant sa porte. Après avoir fumé une cigarette, les jambes en l'air, bien calé sur le poste de radio, Perrin pousse un gros soupir.

— Mon pote, c'est pas tout ça. Faut qu'on installe notre bordel sans débander.

Il s'étire, bâille à s'en décrocher la mâchoire et se prépare à donner un coup de pied à Ba Lu qui est resté couché, imperturbable. Ba Lu se lève d'un bond et commence à déplier l'antenne. Une douzaine de gamins en cercle autour de lui le regardent faire avec passion.

Une à une, des petites lampes s'allument dans le village. La brume a pris une teinte mauve. L'air est doux, chargé d'odeurs de bois brûlé et de poulet cuit. On n'entend plus que le murmure frais de la rivière, quelques rires d'enfants et, obsédant, le râle animal de Roudier.

Torrens devine dans l'ombre d'un pilotis la présence d'une sentinelle. Il va jusqu'aux taches blêmes des blessés, et entend vaguement la voix de Perrin sur la véranda.

— Tu devrais dire à la pépée que j'ai un gros sentiment pour elle.

L'éclat de rire et la réponse de Ba Lu se perdent dans le râle de Roudier. Toujours accroupi, tassé sur lui-même comme un sac, l'infirmier dort. Torrens se penche sur Roudier. Quand il allume une cigarette, le sergent ouvre les yeux et cesse un instant de gémir. Il s'excuse d'une voix humble :

— Je gueule, j'sais bien. Je gueule... mais je peux pas faire autrement. Ça soulage.

Torrens hésite. Il veut lui prendre la main, mais arrête son geste à peine ébauché.

— Ne vous inquiétez pas. Vous allez dormir. On va vous installer dans une paillote. Demain matin ça ira mieux.

Roudier ne répond pas, il a refermé les yeux et repris sa plainte monotone. Une bouffée de musique symphonique déformée par des grésillements jaillit de la véranda, aussitôt couverte par les imprécations de Perrin.

— Merde, merde, toujours ces pédales d'Anglais. Je leur pisse à la raie à ces cons-là, moi... Ba Lu! T'endors pas, bon Dieu. Fais tourner ton bordel.

Torrens se redresse. Quelques poulets s'écartent précipitamment en battant des ailes. Il secoue l'infirmier pour le réveiller.

— Va me chercher Ty.

Puis il se dirige vers la radio qui continue à crachoter sa musique. Dès que Perrin le voit, il récupère le casque d'écoute qu'il avait posé sur la tête d'un petit garçon et se lève.

— Ah! mon lieutenant. C'est encore les Anglais. Je vais avoir du mal à accrocher Tao Tsaï.

Torrens monte silencieusement l'échelle et s'arrête sur la véranda.

— C'est la maison du chef de village?

— J'crois. En tout cas c'est celle à la jolie pépée... Perrin a un ricanement entendu.

— ... sa fille comme y dit.

Torrens s'assoit et se laisse aller contre le montant de la porte de bambou. Les yeux fermés, il tire une dernière fois sur sa cigarette avant de la jeter. Perrin l'observe par en dessous.

— Vous avez la chia... la... vous avez mal au ventre, mon lieutenant ? C'est le riz qu'était mal cuit. Ou moisi. J'l'ai dit à Ba Lu.

— Tu as la longueur d'onde et l'indicatif de Louang Prabang ? Du P.C. du secteur ?

— Oui, mon lieutenant.

— Bon.

Torrens n'insiste pas. La musique a pris plus d'ampleur. Les violons et les cuivres de l'orchestre attaquent le crescendo final. Les enfants perchés sur la balustrade chuchotent dans l'ombre en observant avec avidité les deux Français. Ils éclatent de rire quand Perrin se donne une claque sur l'oreille pour chasser un moustique. L'un d'eux a ramassé le mégot jeté par Torrens et essaye de fumer négligemment. Ba Lu dort sur son trépied, la tête entre les bras, appuyé sur la dynamo. Le chef du village très agité arrive et s'arrête au pied de l'échelle, les mains jointes. Il est suivi de Ty et de l'infirmier. Torrens doit faire un effort pour se relever.

— Ty, je crois... On va passer la nuit ici, les hommes sont trop fatigués et je pense que Roudier... je ne pense pas qu'il tienne jusqu'à Tao Tsaï.

— Oui, chef, c'est bien. La nuit pas moyen marcher beaucoup.

Torrens approuve en hochant la tête.

— Fais porter les blessés ici. Double les sentinelles. Explique ça au Pho Ban et vois avec lui s'il a placé des guetteurs dans la jungle.

Le chef du village renouvelle ses laïs.

— Moi connaître parler français, monsieur chef. Moi longtemps boy pour monsieur l'ingénieur quand c'est faire la route Louang-Prabang. R.C. 7. Connaître ?

118

Lui dire toujours moi beaucoup malin. Connaître conduire auto. Connaître lire, connaître écrire.

Il glousse de rire.

– Guetteur déjà placé, monsieur chef.

Torrens grimace un sourire las.

– Très bien, je vous remercie. Perrin, essaye de contacter directement le P.C. de Louang Prabang... Tao Tsaï est peut-être tombé.

– Ben dites donc, mon lieutenant. J'espère que non. Ça s'rait un peu vache! J'l'aurai jamais en phonie, c'est trop loin. J'vais l'appeler en graphie.

Le Pho Ban se rince les pieds, grimpe l'échelle et entraîne Torrens à l'intérieur de la paillote.

– Monsieur chef rester dans ma maison. Manger le riz, manger le poulet, dormir.

La musique cesse brutalement quand Perrin change de fréquence. Torrens se laisse tomber sur une natte près du foyer. Il entend vaguement à travers les flots de paroles du Pho Ban une exclamation endormie de Ba Lu.

– Casse-couilles!

Puis le ronronnement de la dynamo et le crépitement aigu du manipulateur morse.

– ... Monsieur l'ingénieur beaucoup content moi, moi beaucoup content monsieur l'ingénieur. Ça va. Japonais venir, ça va pas. Japonais pas bons. Travailler. Toujours travailler. Peut-être dix heures travailler par jour. Moi pas content, partir village. Japonais prison pour monsieur l'ingénieur. Lui beaucoup malade. Pas moyen manger. Lui mort. Après c'est madame partir la France. Maintenant c'est Viet-Minh venir...

Le râle tout proche de Roudier interrompt les doléances du Pho Ban. Torrens qui commençait à s'assoupir ouvre les yeux. A travers la porte ouverte la silhouette noire des porteurs de civières se profile sur le ciel bleu profond de la nuit. Les petits enfants abandonnent Perrin et sa radio et se glissent entre leurs jambes dans la paillote. Quand Roudier est déposé sur une natte, ils s'accroupissent autour de lui en murmurant étonnés « Phalang » et scrutent attentivement son visage. Le Pho Ban se lève, les chasse et constate d'un ton neutre :

— Lui beaucoup mal !

— Oui. On n'a plus de morphine. Plus de médicament. Vous comprenez ?

— Lui beaucoup mal. Peut-être lui faire même chose soldats japonais ?

Le Pho Ban reste un moment indécis, regardant alternativement Roudier qui gémit et Torrens qui allume une cigarette pour se tenir éveillé puis il s'éloigne vers le fond sombre de la pièce et disparaît derrière une cloison de bambous. Les deux autres civières sont amenées et les deux blessés déposés à côté de Roudier. Ils gisent indifférents, inertes, silencieux comme des morts. Le Pho Ban revient avec sa fille. Elle a changé de sinh et s'est séché les cheveux. Elle porte un plateau avec une lampe, une pipe et de longues aiguilles de fer.

— Monsieur chef, lui fumer. Peut-être ça va mieux après.

Torrens a un sursaut.

— De l'opium ? Vous êtes complètement cinglé !

Le Pho Ban insiste.

— Opium c'est bien, dormir bien. Plus crier... Une fois déjà Japonais blessés. Beaucoup. Peut-être dix. Hôpital. Fini le médicament, y en a plus le médicament.

Japonais, même chose lui, crier, crier beaucoup. Japonais fumer. Ça va. Japonais content. Dormir.

Torrens hausse les épaules.

– Après tout.

Il s'approche de Roudier.

– Vous voulez fumer de l'opium ?... Ça vous soulagera peut-être un peu ?

Les dents serrées, Roudier grogne un acquiescement.

– J'en ai marre d'avoir mal.

Avec une nonchalance voluptueuse, la fille dépose le plateau sur la natte, s'allonge, la tête sur une petite brique de céramique, choisit soigneusement une aiguille et la trempe dans la pâte noire de l'opium. Ses bras sont nus et la lueur dansante de la lampe met sur sa peau des reflets roux. Ses longs doigts minces font rouler l'aiguille au-dessus de la flamme, la petite goutte d'opium brunit et se boursoufle, une odeur sucrée et agréable se répand dans la paillote. Plusieurs fois la fille retrempe l'aiguille dans la pâte jusqu'à ce que la boulette soit assez grosse, puis elle la malaxe sur le bord poli du fourneau de la longue pipe de bambou.

Le regard gris de Roudier est fixe, hypnotisé par la petite flamme jaune. Les ombres sculptent sur son visage un masque osseux et desséché de mystique.

Perrin apparaît dans l'encadrement de la porte.

– Mon lieutenant... merde. On se croirait chez la mère Schoum. Et c'est Roudier qui se fait faire une pipe. Et par la plus gironde de toute les pépées...

Il éclate de rire et insiste, très fier de sa plaisanterie :

– C'est qu'elle a l'air de bien savoir les faire, les pipes ! Hein, sergent ?

Roudier grimace un pauvre sourire qui découvre ses dents.

— Tu as eu Louang Prabang ? demande Torrens.

— Non, mon lieutenant, j'arrive pas à l'attraper mais j'voulais vous dire, ça va être l'heure des informations de Radio France-Asie. On pourrait p't-être les écouter ?

— Oui, d'accord.

Perrin retourne sur la véranda et tâtonne pour trouver la bonne longueur d'ondes. D'un coup de poignet rapide, la fille enfonce la boulette d'opium dans la petite cavité du fourneau et présente la pipe à Roudier en la tournant sur la flamme pour qu'il puisse fumer. La boulette grésille doucement pendant qu'il aspire.

Des sifflements, des bribes de musique s'échappent du haut-parleur du poste avant que Perrin n'accroche la voix chaude et bien timbrée de la speakerine de Saïgon.

— « ... taille de Louang Prabang est l'enjeu d'une course de vitesse entre nos troupes qui arrivent par pont aérien et les colonnes Viet-Minh qui foncent dans la jungle. Le colonel Godard qui commande le secteur opérationnel de Louang-Prabang ne dispose que de très peu de temps pour organiser la capitale en une base capable de résister à une ou deux divisions Viet-Minh. Les petits postes de la jungle ont reçu l'ordre de combattre le plus longtemps possible pour ralentir la progression Viet-Minh et gagner ce précieux temps. La nuit dernière, plusieurs bataillons rebelles se sont acharnés vainement sur les dernières résistances franco-laotiennes dans la région de la rivière Nam Hou. Ce matin, à l'aube, les postes de Muong Kouha, Ban Nam Bac et Tao Tsaï tenaient toujours. En dépit des mauvaises conditions météorologiques, l'aviation est intervenue pour desserrer l'étreinte Viet-Minh.

« Dans le secteur de la plaine des Jarres, le poste de Ban Sé a dû être évacué. La garnison semble sauvée. On ignore par contre le sort de Pak Seng.

« Selon une dépêche de l'Agence France-Presse, cent vingt scouts laotiens en tenue ont offert des fleurs et des rafraîchissements aux premiers renforts qui ont débarqué à Louang Prabang. Sa Majesté Si Savang Vong suit attentivement le développement de l'offensive Viet-Minh. Le souverain a décidé de rester dans sa capitale quoi qu'il arrive. L'agression Viet-Minh a été déclenchée au moment précis où il s'apprêtait à se rendre en France pour y soigner une grave affection rhumatismale.

« Notre confrère Lucien Bodard, de *France-Soir*, qui est sur place, titre dans son journal : " Le bonze aveugle déclare : le Viet-Minh n'entrera pas à Louang Prabang. " Le bonze aveugle est un moine bouddhique très respecté qui est considéré comme un devin par la population laotienne. Lucien Bodard confirme que le plus grand calme règne dans la capitale du Laos.

« Nouvelles brèves :

« De Corée : Le général Clark offre cent mille dollars au pilote qui posera un avion MIG 15 intact dans les lignes alliées.

« De Londres : La B.B.C. annonce que la télévision du couronnement de la reine d'Angleterre, le 2 juin, coûtera quarante-cinq millions. Ce sera le radio-reportage le plus cher de tous les temps. Deux cents commentateurs raconteront la cérémonie au monde en quarante et une langues.

« De Paris : Après le résultat des élections municipales, on note un net redressement socialiste et un effondrement R.P.F. (gaulliste).

« De Nice : Le peintre Kisling vient de mourir dans sa villa de Sanary. Né en Pologne en 1891, il a voué sa peinture à l'exaltation de la beauté de la femme. Arletty et Michèle Morgan ont posé pour lui.

« De Tokyo : L'empereur Hiro Hito et l'impératrice ont reçu aujourd'hui au palais impérial Sa Majesté Norodom Sihanouk, roi du Cambodge.

« De Cannes : Le film " Le salaire de la peur " de H. G. Clouzot semble être le favori pour le Grand Prix du Festival de Cannes. La palme de l'élégance masculine a été décernée à Jean Marais. En quatre jours, il a changé quatre fois de smoking.

« De Paris enfin : Martine Carol, la ravissante vedette, qui vient de terminer " Lucrèce Borgia ", lance un pari aux journalistes. Elle prétend qu'elle réussira à garder secrète la date de son prochain mariage avec le metteur en scène Christian Jaque. Elle a déclaré en outre : " Je veux être une grande vedette et une petite bourgeoise. " »

Mercredi 29 avril 1953, 0 h 30.

Le village est silencieux. On n'entend que le grésillement de la pipe d'opium et le souffle un peu court des
blessés. Perrin et Ba Lu dorment roulés en chien de
fusil l'un contre l'autre. Des restes de riz et de poulet
jonchent les nattes et le plancher. De ses longs doigts
ambrés la fille maintient le fourneau de la pipe sur la
flamme. Ses lèvres semblent sourire dans son masque
de Bouddha impassible. Son regard noir surveille la
petite boulette d'opium qui bouillonne et se consume.
Roudier abandonne la pipe et se laisse aller en arrière,
la nuque sur un coussin, exhalant la fumée. Une face
seulement de son visage est éclairée par la lampe. Il est
plus gris, plus desséché que jamais.

Appuyé contre un sac, abruti de fatigue, Torrens
grille une cigarette. Une théière et un bol vide sont
posés devant lui. Il avance la main pour se verser à
boire mais ne termine pas son geste. La fille s'agenouille pour le servir, découvrant la naissance d'un sein
qui tremble doucement à chaque inspiration.

— Mon lieutenant, donnez-moi un peu de thé.

La voix de Roudier est étrange. Il a parlé sans bouger la tête, les yeux immobiles fixés sur la nuit du plafond. Torrens hésite un peu.

— Il ne faut pas boire, Roudier.

— Ce n'est pas pour boire. Juste me mouiller un peu la bouche.

La voix est monocorde, sans expression. La tête n'a toujours pas bougé. Torrens remplit le bol, se traîne vers Roudier et le soutient par les épaules pour lui faire couler un peu de thé sur les lèvres, puis il revient à sa place et boit à son tour, plusieurs fois, à longs traits. Roudier se passe la langue sur les lèvres. Quelques gouttes de thé sont restées accrochées dans les poils de sa barbe et scintillent comme des larmes de sueur.

— De toute façon, ça n'a plus d'importance. Je vais mourir. On ne peut pas toujours gagner. Si j'avais su que ça faisait si mal j'aurais pas bu l'eau de la rivière... à Marseille, quand je me suis embarqué sur le « Pasteur »...

Roudier émet une sorte de ricanement sec et désagréable.

— ... Il y avait même une chiée de flics pour nous protéger des manifestants. A Marseille. Et aussi au camp Pétrusky à Saïgon j'ai pensé que ça pourrait m'arriver... Maintenant ça y est. Mais comment vais-je faire ? Mon lieutenant... je vais jamais savoir... le faire bien... Je voudrais seulement dormir encore un peu.

Silencieusement la fille pose la pipe sur le plateau et s'éloigne en emportant la lampe. Les ombres s'allongent sur le visage de Roudier qui entre dans la nuit. On ne

126

voit plus que le point rouge de la cigarette que Torrens porte à sa bouche et le vague reflet dans ses yeux quand il tire une bouffée.

Roudier pousse encore un curieux grognement.

– Si j'étais revenu... j'aurais eu deux nombrils... C'est drôle un homme avec deux nombrils... hein ?

Mercredi 29 avril 1953, 05 h 00.

— Le sergent Roudier c'est mort.

Torrens se réveille en sursaut. Accroupi à côté de lui, l'infirmier chuchote.

— Le sergent Roudier. Lui, c'est mort.

La triste lumière du petit matin pénètre par les interstices du bambou et éclaire faiblement la paillote. Tout est calme. Le silence est à peine troublé par le halètement régulier des blessés. Roudier est toujours allongé sur sa natte, la nuque calée sur un coussin, les yeux gris fixés sur le plafond.

Des mouches sortent de sa bouche entrouverte, se promènent sur ses joues pâles et s'agglutinent autour de ses narines. Sa peau est froide et, sous les doigts de Torrens, ses paupières ne se referment qu'un instant sur son regard mort.

Les grosses mouches vertes s'envolent quand l'infirmier recouvre le corps d'une toile de tente. L'étoffe s'affaisse sur le visage et moule le front et l'arête du nez ; une mouche s'est laissé enfermer et bourdonne rageusement.

Torrens se lève, il enjambe les dormeurs épars et s'arrête sur le pas de la porte. L'air frais le fait frissonner. Des franges vert pâle et or pâle, délicates comme des soies chinoises, s'effilochent à l'est. Une brume blanche monte de la rivière vers les grands arbres noirs de la jungle toute proche. Le village silencieux semble endormi. Entre les pilotis d'une paillote un supplétif est allongé, roulé dans son poncho. Deux fusils et deux cartouchières sont appuyés sur une barrière de bambous. Torrens s'étire, saute à bas de la véranda, retire sa veste de treillis dans laquelle il a dormi et s'asperge la poitrine avec l'eau de la touque placée près de l'échelle. L'eau froide le saisit, il souffle bruyamment et fait quelques mouvements en poussant des cris pour se réchauffer et réveiller sa troupe.

— Debout. Allez debout. Perrin. Ty. Debout!

Comme un bernard-l'ermite sortant de sa coquille, le supplétif sous la paillote s'extrait de son poncho et s'ébroue. En quelques secondes la vie renaît avec ses bruits et son agitation. Ty décoiffé, pieds nus, mal réveillé, arrive en courant.

— Chef, les civils foutus le camp.

Torrens qui se versait de l'eau sur la tête avec la louche se redresse incrédule et ruisselant.

— Quoi?

— Les civils c'est foutu le camp. Bou mi.

Torrens reste interdit. Les supplétifs inquiets, sentant la menace de ce village abandonné, se groupent autour de lui.

— Bon Dieu. Et les sentinelles n'ont rien dit.

Ty pousse devant lui un homme aux yeux bouffis de sommeil.

— Sentinelle pas connaître.

130

Torrens explose.

– Pas connaître. Pas connaître. Bien sûr il dormait comme une souche cet abruti.

– Lui dire pas dormir. Pas entendre rien. Deux camarades pour lui, foutus le camp avec civils... Laisser fusils et cartouches, ajoute doucement Ty.

Torrens se laisse emporter par la rage, il marche nerveusement en brandissant la louche de bambou. Le visage vide, les supplétifs s'écartent discrètement sur son passage.

– Comment ! Mais enfin qu'est-ce que ça veut dire ? Je n'ai jamais vu ça. Deux sentinelles désertent, celui-là dort. C'est du joli...

Il s'arrête net et sans transition prend un ton froid de commandement.

– O.K... Chefs de pièce F.M. Placez vos armes en batterie à chaque entrée du village. En vitesse. Envoyez votre protection à trente mètres devant vous sur la piste. Vu ?

Une dizaine de supplétifs agrippent leurs armes et filent prendre position dans le léger brouillard laiteux qui paresse à l'orée de la jungle.

– Ty, tu fais descendre les blessés prêts à partir. Je ne veux voir personne dehors, planquez-vous sous les maisons. Le sergent Roudier est mort. Cette nuit. Perrin, avec deux hommes, chargez-vous de lui creuser une tombe. Exécution.

Les derniers supplétifs se dispersent. Torrens ramasse sa veste, l'enfile et remonte dans la paillote.

Du haut de la véranda, il ajoute encore :

– Que le type, l'abruti qui a perdu son arme dans la flotte, récupère un des fusils. Et toutes les munitions, l'autre il n'a qu'à le fiche en l'air.

Sur le plateau, à côté de la pipe d'opium, il découvre une feuille blanche pliée en quatre. C'est une lettre du Pho Ban calligraphiée maladroitement sur une page de cahier d'écolier.

« Monsieur le chef.

« Mes chers administrés et votre serviteur a beaucoup peur. Le Viet-Minh il est partout. Peut-être connaître quand c'est aider soldats français. Peut-être Viet-Minh dire : tu aides soldat français maintenant tu aides soldat Viet-Minh. Peut-être prendre tous les hommes travailler la piste. Ça va pas. Connaître déjà Japonais. Nous partir la montagne. J'en suis désespéré. Comment pourrai-je jamais me faire pardonner les cruels tourments dont je suis la cause. Je me jette à vos pieds et implore votre clémence. Croyez-moi votre humble et très fidèle serviteur.

« Signature : Ba Thou, le père du village.

« Si tu as besoin le riz, toi prendre. Ça va. »

Torrens amusé replie la lettre et la met dans sa poche. Un vieux bouquin écorné traîne près du plateau : « L'idéal secrétaire » de Désiré Bidot, édité en 1896. Prix 75 centimes. Torrens le feuillette et tombe en arrêt sur une lettre – Demande à un père de se présenter chez lui pour faire la cour à mademoiselle sa fille – dont la poésie surannée l'enchante.

« Monsieur,

« La profonde impression que j'ai éprouvée quand je me suis rencontré à la soirée de monsieur X, trois petits points – avec mademoiselle votre fille n'a fait que grandir depuis lors. Son souvenir me poursuit sans cesse et c'est moins l'effet de ses charmes que des vertus que vous lui avez inspirées dès son enfance et des rares qualités dont la nature l'a si heureusement douée.

132

« Toutefois je puis vous assurer qu'elle n'a jamais entendu le moindre aveu sortir de ma bouche : je connais trop ce que m'imposent l'honneur et les convenances – petits points de suspension.

« Aussi je viens solliciter de votre bonté une grande faveur. Je viens vous prier de bien vouloir me permettre de me présenter chez vous pour faire la cour à mademoiselle Adèle – entre parenthèses : à remplacer par le nom de baptême de l'objet aimé – et l'assurer que mon plus doux désir serait de lui voir accepter et mon cœur et ma main.

« Je n'ai rien à vous dire de ma famille, vous la connaissez. Vous savez quels sont mes moyens d'existence et quant à mes mœurs, je défie le censeur le plus austère de ne les trouver irréprochables.

« Je ne dis pas, mon Dieu, qu'une réponse défavorable me jetterait dans le désespoir le plus sombre, pourtant j'attends anxieusement la lettre qui doit fixer mon... »

Un coup de fusil, puis deux longues rafales de mitraillette claquent brutalement. Torrens laisse tomber le livre, bondit sur sa carabine et dévale l'échelle. Au passage il accroche Ty.

– Rassemble tous les hommes, je vais voir ce qu'il se passe.

Il fonce vers l'entrée du village. Les coups de feu ont cessé, remplacés par des cris. Le servant du F.M., debout à côté de sa pièce, gesticule en riant.

– Pante te kons.

Willsdorff et Ba Kut sortent de la jungle en injuriant copieusement les sentinelles qui leur ont tiré dessus. Un élan de joie et de soulagement précipite Torrens vers l'adjudant, pour un peu il le serrerait dans ses bras.

– Willsdorff! Bon Dieu. Que je suis content de vous voir !

Le visage envahi par une barbe noire et drue, un fusil-mitrailleur sur l'épaule, deux grenades quadrillées accrochées aux poches de son treillis, Willsdorff répond tranquillement comme s'ils s'étaient quittés la veille :

– Moi aussi. J'ai bien cru que les Viets vous avaient faits aux pattes.

Ses yeux brillants de sympathie démentent le ton normal, presque indifférent de ses paroles. Derrière lui Ba Kut, une mitraillette pendue autour du cou, sourit imperceptiblement. Il défait la boucle du bracelet-montre et le tend sans un mot à Torrens.

– Merci. Non, gardez-le pour l'instant. Ça a été ?

Le visage du sergent laotien s'illumine et il grogne un acquiescement. Trois de ses hommes sortent l'un après l'autre de la jungle. Ils sont armés chacun d'une mitraillette et d'un fusil, leurs treillis sont sales et déchirés. L'un d'eux a perdu son chapeau de brousse et a noué un chiffon bleu sur sa tête.

Willsdorff machinalement retire le chargeur du F.M., fait jouer la culasse pour éjecter la balle du canon et appuie deux fois sur la gâchette comme le recommande le règlement pour vérifier le déchargement d'une arme. Il se baisse, ramasse la balle tombée par terre et la met dans sa poche.

– On a eu un mal te chien à técrocher tes Viets. On tevait avoir au moins teux compagnies au cul. Ils ont failli nous baiser teux, trois fois... On a eu te la casse t'ailleurs.

D'un coup de tête il indique les trois supplétifs qui lui restent.

134

– Vers une heure tu matin on les avait semés. Ba Kut a envoyé teux rombiers sur la cote 924. Y en a qu'un qui est revenu. Les Viets y étaient et les ont reçus à coups te fusils... Vous n'avez pas attentu minuit ? Vous avez trôlement bien fait... Enfin là, j'ai vraiment cru qu'ils vous avaient eus. Et puis hier tans un village on nous a tit que vous étiez passés. Alors tepuis on vous court après.

Les deux hommes sont arrivés devant la maison du Pho Ban. Ty et les supplétifs sont accroupis entre les pilotis. Le corps de Roudier et les deux blessés graves sont étendus près de l'échelle. Willsdorff remarque alors l'aspect sinistre du village. Il siffle légèrement entre ses dents.

– Putain ! Il n'y a pas un rombier ici. Les civils se sont tous barrés. Et Ba Thou ?

– Oui, tous. Cette nuit pendant que nous dormions Vous le connaissez ?

– Quoi ?... Ba Thou ! ça ne m'étonne pas, c'est un vieux trouillard. Et bavard. On n'est pas sorti te l'auberge. Y a intérêt à foutre le camp en vitesse.

Torrens s'est arrêté devant le cadavre roulé dans sa toile de tente.

– Roudier est mort... On l'enterre et on s'en va.

Willsdorff reste un moment immobile. Préoccupé. Il renifle plusieurs fois, se penche vers les deux blessés graves allongés sur leur civière et leur fait un clin d'œil amical. Il soulève une toile de tente, découvre la jambe fracturée, serrée dans des attelles et la palpe. Autour d'eux les supplétifs de Ba Kut continuent à raconter leurs aventures aux autres. Willsdorff se relève et sent ses doigts en fronçant les sourcils.

– Il n'est pas le seul à ce que je vois... Ba Phalong !

Torrens va répondre mais l'adjudant l'entraîne à l'écart.

— Écoutez, mon lieutenant. (Torrens lui jette un regard furtif. C'est la première fois qu'il l'appelle « mon lieutenant »). Il faut laisser ces teux rombiers ici et foutre le camp. Croyez-moi on ne passera pas avec eux. La grante vallée est pourrie te Viets. Hier soir on en a vu en pagaille, avec tes torches, qui grenouillaient sur la piste te Louang Prabang. C'est un coup de pot que vous soyez arrivés jusqu'ici. Tao Tsaï est sans doute téjà tombé...

— Non. A la Radio ils disaient...

— Vous l'avez eu ?

— Tao Tsaï ? Non, les informations, Radio France-Asie.

Willsdorff hausse les épaules.

— Écoute. Ça fait bientôt trente-trois mois que je les ballate sur toutes les pistes tu Nord Laos, ces rombiers-là. J'les connais bien moi ces teux-là : Soy et Naï My. Naï My est foutu : gangrène. Soy est t'un petit blet tu Mékong. Il est marié. Et je connais sa femme. Et son bébé, une petite fille marrante. Qui sera une sacrée tiablesse plus tard. Écoute. C'est vous le patron. T'accord. Mais je serais vous je les abantonnerais ici... sans hésiter, moi.

Torrens relève la tête et reste une seconde indécis.

— Je vous crois. Vous avez sans doute raison... mais..

— Mais on les emmène.

Torrens hoche la tête.

— Mon lieutenant, j'ai pas mal fait la guerre. Et teux séjours en Into. On ne passera pas.

Torrens reste silencieux.

— Bon. Alors on prend la piste. Avant ce soir on va se retrouver en caleçon.

136

Sans même attendre une réponse, Willsdorff se retourne vers les supplétifs vautrés nonchalamment sous les paillotes.

— Bon Tieu qu'est-ce que c'est que ce bortel. Tebout tout le monte. Ba Kut tu files en tête. Récupère le F.M. à la sortie tu village. Envoie ta voltige te pointe loin tevant. Ty tu prends l'arrière-garte.

Ba Kut désigne deux voltigeurs qui partent en courant ouvrir la piste, faisant claquer le levier d'armement de leurs mitraillettes.

Avec des instruments de fortune trouvés dans le village, Perrin et deux supplétifs creusent toujours la tombe.

— Alors Perrin, tu es sourd. On part.

— Ben quoi mon adjudant, j'fais la... c'est pour Roudier.

— Allez file, laisse tomber.

Perrin abandonne se houe dans le trou à peine creusé en marmonnant « les vaches », va vers la véranda prendre son fusil et sa radio et rejoint Ba Lu dans la colonne qui démarre lentement. Willsdorff est revenu près de Torrens.

— On n'a pas le temps...

Il a un mouvement de tête vers la tombe.

— Faut foutre le camp t'ici. Te toute façon, vous savez, les Viets l'auraient téterré pour savoir qui c'était. Alors !

Les deux blessés portés sur leur civière défilent devant eux. Willsdorff pousse Torrens.

— Partez maintenant. Je m'occupe te lui avec l'arrière-garte et je vous rejoins.

— Oui, vous avez raison. Vous avez toujours raison. Et... merci Willsdorff.

— Vous savez, crever pour crever, hein! Pourquoi pas crever tous ensemble sur cette putain te piste!

Le soleil s'est levé et dissipe lentement le brouillard matinal mais le village est encore dans l'ombre humide et bleue des calcaires. L'arrière-garde s'est dissimulée sous les paillotes, impressionnée par le silence que trouble parfois un cri d'oiseau. Quelques cochons et poulets oubliés errent désemparés autour du cadavre de Roudier. Willsdorff les chasse et appelle Ty.

— Aide-moi à le porter. C'est pas la peine que les bêtes le bouffent.

Les deux hommes hissent le corps sur la véranda puis Willsdorff roule la toile de tente et regarde un moment le visage de Roudier. Il fouille ensuite les poches du treillis et sort un vieux portefeuille éculé, une lettre chiffonnée datée de novembre 1952, une boîte d'allumettes encore enveloppée dans une capote anglaise, un peigne sale et un petit miroir de bazar oriental dont le dos plastifié est orné de la photographie d'une femme nue au sexe poilu et aux seins énormes. Willsdorff replace la toile de tente, dégoupille une de ses grenades quadrillées et la glisse sous le corps de Roudier en coinçant la cuiller.

— Quand ils vont le tripoter ça leur pétera à la gueule.

Ty ricane.

L'adjudant descend l'échelle, ramasse son fusil-mitrailleur qu'il avait déposé pour porter Roudier, siffle dans ses doigts pour attirer l'attention des voltigeurs d'arrière-garde et d'un geste leur donne l'ordre de décrocher.

Silencieusement les hommes abandonnent le village mort.

Mercredi 29 avril 1953, 06 h 15.

Quand Willsdorff rejoint Torrens il fait déjà chaud mais les lointains ont encore la fraîcheur, la netteté des miniatures d'un livre d'heures du Moyen Age. Des banderoles de brouillard subsistent dans les creux d'ombre. La jungle étincelle de rosée. Gorgées d'eau, les rizières en gradins éblouissent comme des plaques d'acier. L'air est joyeux comme en Europe, en mars, entre deux giboulées. Sans cesser de marcher, Willsdorff décroche sa dernière grenade quadrillée, la glisse dans la poche de son pantalon et retire sa veste de treillis. Sous les jumelles pendues à son cou, une grosse cicatrice blanche marque son torse bronzé. Il roule la veste sur son épaule droite et cale dessus le F.M. qu'il maintient en équilibre par le cache-flamme.

— Willsdorff, que pensiez-vous de Roudier ?

— Il ne parlait pas beaucoup. Mais il n'était pas mal tu tout... Un bon sergent. Pourquoi ?

Torrens ne répond pas tout de suite, son ombre noire s'allonge démesurée sur la rizière. Un coude de la piste découvre l'avant-garde de Ba Kut avec, loin devant, très espacés, les deux voltigeurs de pointe qui avancent prudemment la mitraillette à la hanche, prêts à tirer.

— Eh bien ça fait quinze jours... dix-huit exactement, que je le connais. Je croyais le connaître un peu. Il m'a étonné, il est mort avec beaucoup de... bien, quoi ! Je suis content de ne pas l'avoir laissé à Pak La. Vous, vous l'auriez laissé... hein ? Vous êtes un drôle de type ! De la cote 924, je vous ai vu récupérer le F.M. Vous savez, dans le raï. Vous avez failli vous faire descendre... Mais vous auriez abandonné Roudier.

Torrens hausse les épaules. Willsdorff hâte le pas pour se rapprocher et se tenir juste derrière lui car la piste, une diguette entre deux rizières, est trop étroite pour que les deux hommes puissent marcher côte à côte.

— Pourquoi croyez-vous que j'aie ramassé ce F.M. ? Pour qu'il ne tombe pas entre les mains tes Viets ?

— C'est bien ce que vous avez fait. Non ?

Willsdorff ricane.

— Je me foutais pas mal qu'ils récupèrent une arme te plus ou te moins. On n'est plus en 46. Maintenant tes F.M. ils en ont en pagaille. Nous avec Ba Kut on n'en avait qu'un. Un F.M. bien servi, ça vaut tu monte. Routier, ça valait quoi, lui ? Quatre rombiers qui se crèvent à le porter. L'obligation te coller à la piste. Une vitesse t'escargot... Et Routier est mort quand même. Alors ?...

Willsdorff se retourne vers les supplétifs en file indienne derrière lui et jette d'un ton hargneux :

— Gartez les tistances, bon Tieu !

Les rizières de plus en plus étroites s'étagent sur les flancs de la montagne. L'eau ruisselle en cascades brillantes vers les plus basses. Les petites pousses de riz vert vif sont alignées comme des soldats pour la parade. Willsdorff reprend calmé :

— Ils ne le plantent pas aussi bien qu'au Tonkin. Mais c'est beau cette vallée, hein ? Et tans quinze jours trois semaines tous les arbres le long te la rivière seront rouges. Ce sont tes flamboyants. Alors les Lao feront un « boum » — une fête — et ils se saouleront la gueule, et ils tanceront avec les filles toute la nuit... Je vais vous tire quelque chose mon lieutenant. J'aurais laissé Routier à Pak La et à l'heure actuelle on serait à Tao Tsaï. Quand on fait la guerre, il y a une chose tont il faut être sûr. C'est que l'objectif à atteindre justifie les pertes. Sans ça on ne peut plus commanter... Je sais bien, quand on est chef te section, les pertes, ce sont les copains. Mais quand même, vous avez tort. Vous faites une connerie ...Eh merte! Je suis content que vous l'ayez faite et je suis content t'être avec vous pour ça. Et si on toit cous y rester, eh bien, vive la mort!

Mercredi 29 avril 1953, 11 h 30.

– Tistances!

L'ordre de Willsdorff claque comme un coup de fouet sur le morne abrutissement de la colonne. Une vapeur terne, lourde en odeurs, étouffe la jungle mate. D'énormes nuages immobiles stagnent comme des abcès dans le ciel bleu-gris. La chaleur est épaisse. De grandes taches noires s'élargissent aux aisselles des hommes. Le soleil presque vertical, soulignant les pommettes luisantes de sueur, creuse d'ombre les renfoncements des yeux et fait à Torrens une tête de mort. Willsdorff débouche son bidon, boit une gorgée d'eau et se rince bruyamment la bouche avant de recracher puis il reprend d'un débit haché au rythme de la marche :

– Elles ne sentent pas. Et puis, pentant la sieste, quand il fait chaud, elles sont fraîches. C'est leur peau. Elles ont quelque chose. Je ne sais pas quoi...

Torrens approuve.

– Oui, ça ne m'étonne pas. Hier soir, la fille du

143

Pho Ban, je l'ai bien regardée pendant qu'elle faisait fumer Roudier. Elle était dorée, lisse... sans un bouton. Rien. Et un grain serré.

– Ça c'est vrai alors...

Perrin qui depuis quelque temps marchait juste devant le sous-lieutenant se retourne excité.

– ... Moi j'ai connu qu'une pépée, à la porte de Vincennes, qu'avait une peau comme ça. Une charcutière. Caissière dans une charcuterie quoi! Mais quand même pas aussi bath. Les roberts tout blancs et les fesses râpeuses, rouges comme un cul de singe. Forcément, tout le temps assise. J'l'ai fréquentée un peu avant de m'engager. Une drôle de cavaleuse celle-là. Avec un craquette comme une gibecière.

Willsdorff éclate d'un rire heureux répétant pour son plaisir :

« Comme une gibecière, comme une gibecière. »

Les huit porteurs ralentissent, piétinent sur place et s'arrêtent. L'arrière-garde continue sa montée et s'entasse bientôt derrière eux.

– Tistances, bon Tieu!

Les supplétifs serrés les uns contre les autres se laissent tomber et ferment les yeux. Willsdorff et Torrens enjambent les deux civières et filent en tête. La piste longe un petit thalweg très creux qui va en se rétrécissant et finit par l'enjamber sur un gros arbre abattu. La jungle s'éclaircit et ils débouchent sur un raï. Ba Kut est debout à la lisière près du F.M. en batterie. Ses hommes sont camouflés de part et d'autre. Il se retourne en entendant arriver Torrens et Willsdorff et annonce d'un ton neutre :

– Ban méo. Bou mi cochons. Bou mi petits enfants. Un type c'est foutu le camp. Voltigeurs parti voir.

144

Le village est au milieu du raï. Cent mètres plus loin quelques maisons sont piquées sur une petite hauteur. Les voltigeurs ont déjà dépassé la partie basse et gravissent lentement la pente. Sous le soleil impitoyable on voit les deux petites silhouettes progresser prudemment dans un sombre chaos d'arbres abattus, de souches noircies et de cendres. Les paillotes désertes de la crête, perchées sur des pilotis, se découpent contre le ciel d'orage qui développe ses volutes jusqu'à dix mille mètres d'altitude. De grands oiseaux aux ailes immobiles glissent en larges cercles. Willsdorff pose son F.M.

— C'était un Viet ton rombier tu crois ?

Ba Kut secoue la tête.

— Méo.

Un chien hurle. Torrens prend ses jumelles, le moins aventuré des deux voltigeurs s'est arrêté. Dans le tremblement de chaleur, Torrens voit le reflet luisant du canon de sa mitraillette. L'autre, d'un coup de pied, ouvre la porte d'une paillote et pénètre à l'intérieur. D'un bond il en ressort suivi d'un chien qui part la queue basse. Le voltigeur arrêté se baisse et ramasse une pierre. Torrens voit parfaitement son visage et le rire qui découvre ses dents. Il lance la pierre au chien qui aboie furieusement. Les deux hommes se remettent en marche. Le premier disparaît derrière la crête, le second avise soudain un régime de bananes sur le pas d'une porte, il en fourre plein ses poches, en mange une et disparaît à son tour.

Ba Kut, de mauvaise humeur, relève ses supplétifs et grommelle à l'égard de Willsdorff :

— Pas bon. Civils tous foutus le camp partout. Civils la trouille.

N'obtenant pas de réponse, il s'engage dans le raï en insistant.

— Pas bon. Pas bon.

— Tu me casses les couilles, Ba Kut...

Willsdorff ramasse son F.M.

— ... Allons-y, on attentra les blessés là-bas.

Arrivés dans le village, les supplétifs de l'avant-garde se répandent dans les paillotes vides. Willsdorff s'assoit à l'ombre. Torrens sort un paquet de Job tout chiffonné et le tend à l'adjudant.

— Non merci!

Il compte les cigarettes qui lui restent, fait la grimace et en allume une. Le soleil s'engloutit dans un nuage et toute couleur semble disparaître. Même la jungle devient grise comme la cendre. Les deux civières approchent lentement en serpentant entre les rocs et les troncs noirs. Torrens tire longuement sur sa cigarette.

— Pas très gai comme paysage. On croirait un champ de bataille de 14-18. Le genre de photo de l'*Illustration*. La Somme, Verdun.

Willsdorff chasse un chien jaune qui rôde humble et sournois autour d'eux.

— Oui. C'est comme ça chez les Méo. Notez bien qu'ici on n'est pas encore chez les vrais Méo. C'est pas assez haut. Tes Phouteng ou tes Kha, mais c'est le même système. Ils téfrichent un carré te jungle et ils y foutent le feu. La centre fume la terre. L'année suivante ils plantent tu riz, ou te l'opium. La récolte est à chier partout. L'année suivante c'est moins bien et l'année suivante encore, c'est franchement te la merte. Alors ils recommencent un peu plus au Sut. C'est incroyable ce qu'ils ont foutu en l'air comme forêt. Et

146

on raconte qu'ils viennent tu nord te la Chine... Ils ont tes têtes te Mongols t'ailleurs.

Les supplétifs de Ba Kut reparaissent aux portes des paillotes, chargés d'un misérable butin. Torrens se lève d'un bond.

— Qu'est-ce que ça veut dire? Remettez tout ça en place!

Les chapardeurs s'arrêtent interdits.

— Sergent c'est dire...

Willsdorff rigole.

— Vous frappez pas. C'est Ba Kut qui leur a permis de le faire.

La voix de Torrens devient très sèche.

— Alors vous êtes pour ce pillage. Bravo!

— Non. Je vais vous expliquer. Ces rombiers nous ont pris pour tes Viets. C'est pour ça qu'ils se sont barrés. Si ils pensent que les Viets les pillent... c'est pas plus mauvais. Non?

— Vous êtes très malin Willsdorff, très malin! Eh bien vos rombiers ils penseront ce qu'ils voudront mais on ne touchera à rien ici. Vu!

L'adjudant observe Torrens en plissant les yeux.

— Très bien.

Il ramasse une fourmi sur un brin d'herbe et s'amuse à la voir se dresser sur les pattes de derrière pour mordre. Quand elle atteint ses doigts, il secoue la main pour la faire tomber.

— Je vais vous raconter une histoire... — Il ricane. — Une histoire marrante.

Torrens reste glacé. Les supplétifs abandonnent tristement leurs petits trésors mais un obstiné se dandine devant le sous-lieutenant avec une bouteille et une casserole noircie à la main.

– C'était en 46 pentant mon premier séjour...
Timidement le supplétif interrompt :
– Tiens, c'est pour toi chef.
Willsdorff s'empare de la bouteille tendue.
– Ma parole mais c'est tu Borteaux !
Il lit l'étiquette : Saint-Eustache 1950 – Fou Po
Hoa importateur. Saïgon.
– T'où tu sors ça ?
– Trouver là-bas... c'est tout y en n'a pas encore...
peut-être moyen garder casserole ? Faire cuire le riz.
Willsdorff se tourne vers Torrens avec un air de
consternation comique.
– Si on garte son pinard, on peut tout te même pas
lui faire rentre sa casserole... Ça serait pas moral.
Torrens se détend un peu et hoche la tête. Wills-
dorff débouche la bouteille.
– C'est bon, garte ta casserole. Mais ne la fiche pas
en l'air sur la piste parce que tu es fatigué te la porter.
Il goûte le vin et tend la bouteille au sous-lieutenant
après avoir essuyé le goulot.
– Ce fumier de Fou Po machin l'a trafiqué à mort.
Enfin ça vaut mieux qu'un coup te pied tans le ter-
rière.
Les deux civières sont presque arrivées dans le village, Ba Kut regroupe ses hommes pour reprendre la
progression. Willsdorff lui désigne d'un coup de pouce
la bouteille à laquelle boit Torrens.
– T'en veux un coup ?
Toujours de mauvaise humeur, Ba Kut secoue la
tête et s'éloigne vers la crête.
– Il est furieux !... Tonc je tisais. En 46 à Thakek,
je venais te passer cabot-chef. La compagnie était basée
à Thakek sur le Mékong. On tevait pacifier le coin.

148

Le capitaine, un trôle te rombier, ancien tes F.F.L., il a été tué en 49, sur la R.C. 4, une grosse embuscate. Entre Tong Khé et Cao Bang. Putain, il savait picoler celui-là. Bon, il técite te faire un grand rait tans la nature. Pour nous montrer. Il avait une jambe de bois; je me rappelle, tans les bistrots, il finissait toujours par la foutre sur le bar et il se piquait tes fourchettes tetans. Avec le pantalon ça faisait un effet plutôt marrant. Il envoie tes agents laotiens prévenir les civils que tout village abantonné tevant notre avance serait consitéré comme rebelle, et brûlé aussi sec.

Willsdorff reprend la bouteille et boit une bonne rasade. Les civières sont arrivées et les huit porteurs ruissellent de sueur sous leur poids. Derrière Perrin se met à chanter :

– Respecter l'armée coloniale – Qui boit du vin rou-ou-ou-ouge.

Willsdorff lui lance la bouteille, ramasse son F.M. et se lève.

– Les tistances. Je veux cinq mètres entre chaque rombier. Compris!

Torrens jette son mégot et, côte à côte, les deux hommes se joignent à la colonne.

– A l'aller, pas te problème. Les petits blets qu'on rencontrait étaient bourrés te monte. Même les civils au gart-à-vous nous attentaient sur la piste, un ou teux kilomètres avant, en agitant tes petits trapeaux, un vrai quatorze juillet, et ils nous refilaient tes bananes et tes bols te riz. Une promenate quoi! les toigts tans le nez et le pouce tans le cul.

Willsdorff marque une pause, reprend la bouteille à Perrin et boit une gorgée pour s'éclaircir la voix. Comme il ne cesse pas de marcher, un filet de vin lui

149

coule du menton et se perd dans les poils de sa poitrine.

– Bon! Pour le retour le capitaine técite te pas rentrer par le même chemin, mais te monter tans le nord et te se farcir une petite piste parallèle. Parce que malgré sa patte te bois, le vieux, il cavalait comme un Méo. Bon! le premier blet sur cette piste. Tésert. Comme ici. Pas un rombier. Si, une petite vieille complètement abrutie.

Willsdorff jubile.

– Putain! Enfin un village rebelle. On y fout le feu joyeusement. Avant on retire quand même la petite vieille te sa baraque. Un vrai feu t'enfer. Vous savez le bambou qui crame, ça crépite comme une mitrailleuse. Une vraie pétarate.

Willsdorff glousse de joie.

– Y avait pas cinq minutes que ça cramait que les civils rappliquent en courant et en piaillant comme cent mille tiables.

Willsdorff ne peut plus retenir ses éclats de rire.

– Manque te pot, ils nous attentaient te l'autre côté. Vers Thakek. Et ils avaient toujours leurs petits trapeaux, leurs bananes et leurs bols te riz.

Torrens se laisse à son tour emporter par le fou rire. Willsdorff hoquète.

– Et puis impossible t'arrêter le feu avec ça. Il avait bien pris.

Après quelques secondes, Torrens reprend son souffle, les larmes aux yeux, il boit une dernière gorgée de Saint-Eustache.

– Willsdorff, c'est une horrible histoire.

– Oui, vous avez raison, c'est une horrible histoire.

L'adjudant finit la bouteille, rote magistralement et la jette derrière lui.

150

— Vive la mort bon Tieu!

Ils sont arrivés sur la crête; devant eux s'étend un immense panorama de mamelons et de vallées vert sombre qui exsude une brume de chaleur comme une chaudière en ébullition.

Mercredi 29 avril 1953, 13 h 00.

Ba Kut est toujours furieux. La tête rentrée dans les épaules, tassé sur lui-même, il avance comme une brute, le doigt sur la détente de sa mitraillette. Il a placé deux chargeurs, immédiatement à portée de la main, dans la ceinture de son pantalon. Des gouttes de sueur roulent sur son visage luisant. Son regard noir fouille la jungle, disséquant le terrain, prévoyant à chaque pas la réplique à une embuscade possible. Les deux voltigeurs de pointe, courbés par l'inquiétude, se laissent peu à peu rattraper. Ba Kut leur jette une pierre et les insulte sèchement. Sa voix troue le silence ouaté et fait sursauter les hommes qui cheminent lamentablement derrière lui. Il n'y a pas un souffle d'air et des odeurs âcres de sueur que la colonne traîne dans son sillage se mélangent lentement à l'haleine pourrie de l'humus. La piste rencontre une autre piste, s'élargit, contourne une colline et s'enfonce doucement dans la moiteur d'un ravin. Les deux voltigeurs ont repris leur place en courant lourdement. Le dernier s'arrête soudain, se retourne et appelle son camarade en désignant quelque chose du canon de sa mitraillette, puis tous les deux reviennent de quelques pas en arrière et se penchent sur un taillis. Ba Kut les voit gesticuler et brandir leurs armes vers la jungle. Il arrête d'un geste la colonne, envoie quelques supplétifs en protection sur la colline et file voir ce qu'il se passe. Les hommes se laissent tomber sur place sans avoir même le courage de déboucler leurs sacs. Ils font à peine attention à l'incident et se contentent d'attendre.

Ba Kut, à genoux près d'un trou rectangulaire creusé derrière le taillis, est bientôt rejoint par Willsdorff et Torrens, puis par Perrin qui arrive tranquillement, le chapeau de brousse sur les yeux, les mains dans les poches en sifflotant le chant des Marines. Les deux voltigeurs très excités expliquent quelque chose en laotien, et s'engagent sous les couverts. Les seuls mots que Torrens arrive à comprendre sont « Viet-Minh », « Viet-Minh ».

— Qu'est-ce qu'il y a encore ?

Willsdorff lui explique :

— C'est un emplacement te combat. Ils tisent qu'il y en a en pagaille, et tes traces te feux.

Il fait une grimace.

— Un bivouac viet. Et tout frais encore.

Effectivement la brousse est piétinée sur une grande surface autour d'abris de bambous improvisés. Une série de trous individuels sont camouflés le long de la piste. Perrin et les deux voltigeurs furètent un peu partout en écartant les branches de leurs mitraillettes. Torrens s'éponge le cou avec son mouchoir trempé.

— Ils étaient assez nombreux, on dirait. Vous croyez qu'il y a longtemps qu'ils sont partis ?

Ba Kut grogne.

– Viet-Minh peut-être deux heures partir.

Torrens pas très convaincu lance un regard interrogatif à Willsdorff.

– Oui, ça ne m'étonnerait pas. Ba Kut a l'œil pour ça. T'ailleurs y a un moyen facile te savoir.

– Comment ça ?

Willsdorff rigole doucement.

– Tans quoi creuse-t-on les feuillées ?

Torrens fait un geste d'ignorance. Willsdorff ironise.

– Tites-tonc, vous ne connaissez pas le manuel tu petit graté d'infanterie. Qu'est-ce qu'on vous apprend tans les écoles ?

Il se met au garde-à-vous et récite mécaniquement, sur un ton chantant de catéchisme :

– Tans quoi creuse-t-on les feuillées ? Tans le quart t'heure qui suit l'arrivée au cantonnement. Te quoi sont les pieds ? L'objet te soins constants te la part tu fantassin.

Un coup vient te partir, que faut-il au...

– Et alors ? coupe Torrens agacé.

– Et alors, eh bien, le Viet a atopté notre règlement. C'est vrai. Mais un peu sérieusement. Jamais le Viet ne chie paisible tans la nature, il creuse. Et vous pouvez être sûr qu'ils ont creusé tes gogues tans le quart t'heure qui a suivi leur arrivée ici. En examinant la... le contenu...

Perrin cesse de siffler.

– Ça y est, mon adjudant, j' l'ai trouvée. Ils avaient foutu des branches dessus, mais on peut dire que j'ai du pif.

– J'arrive.

Willsdorff se tourne vers Torrens.

155

— Je vais vous tire en gros le nombre te clients. Et l'heure tu ternier... tépôt.

Il se met à rire aux éclats.

— Si vous voulez aussi tes intications sur l'état sanitaire te la troupe ?

Torrens amusé s'assoit le dos appuyé contre un arbre.

— O.K.

Il sort son paquet de Job, hésite un moment entre une cigarette entière et un long mégot et finalement allume le mégot. Il entend des bruits de branches brisées et une exclamation écœurée de Perrin.

— Ça schlingue salement. Quel métier. Les vaches ! J' vais finir par appeler mon ami Burk.

Un silence.

— Ça c'est sûr, j' vais appeler Burk.

Puis la voix de Willsdorff :

— Qu'est-ce que c'est encore que ton Burk ?

Et la réponse triomphante de Perrin :

— Comment, vous ne connaissez pas mon ami Buueuurk ?

Le nom se transforme en une imitation réaliste d'une nausée.

Quelques secondes plus tard, Willsdorff, Ba Kut et Perrin reviennent.

— Teux, trois heures maximum. Il y avait tu monte. Peut-être une petite compagnie. Bonne santé générale.

Torrens se relève et tire longuement sur son mégot. Perrin le regarde faire avidement.

— Dites, mon lieutenant, vous pouvez pas me filer une cigarette ? C'est Ba Lu qui a les miennes.

— Tiens !

Torrens lui en lance une, commence à froisser le

paquet pour le jeter, s'aperçoit qu'il n'est pas vide et le remet dans sa poche.

Willsdorff hilare frotte sa poitrine luisante de transpiration. Sa cicatrice prend une teinte violette.

— Important le règlement. Vous savez pourquoi j'ai failli louper mon peloton te cabot en 46?

Il essuie ses mains humides sur le fond de son pantalon.

— Un coup vient te partir. Que faut-il au canon pour se refroitir? Question. Hein Perrin! Que faut-il?

— J' sais pas moi...

— C'est tans le manuel caporal Perrin, c'est tans le manuel.

— Ben j' sais pas, du froid quoi.

Willsdorff ricane.

— Pas mal caporal Perrin, pas mal, mais c'est pas ça. Question : un coup vient te partir, que faut-il au canon pour se refroitir? Réponse : un certain temps.

Torrens part d'un grand rire.

— Un certain temps, ça c'est génial. Un certain temps! c'est de la poésie pure.

Sur la piste, les supplétifs ont retrouvé assez de force pour se déchausser et soigner les ampoules de leurs pieds, certains même ont découpé au couteau le talon et le bout de leurs chaussures de brousse. Les deux blessés légers geignards se refont mutuellement leurs pansements en insultant l'infirmier qui fume tranquillement. Les quatre porteurs de Naï My chassent avec de grandes feuilles, les mouches attirées par l'odeur de la gangrène. Les autres, vautrés sur leurs sacs, apparemment indifférents, regardent revenir les six hommes.

Ba Kut rappelle son élément de protection. Les deux voltigeurs de pointe se sont assis dans un coin et gémissent leur épuisement.

157

— Ouh! Kun phou, long phou, moueï laï [1].

Ils montrent une mauvaise volonté évidente pour reprendre leur place loin à l'avant de la colonne. Excédé, Willsdorff arrache sa mitraillette à l'un d'eux.

— Je vais y aller, sans ça on sera encore ici tans tix ans.

Ba Kut approuve.

— Moi venir avec toi! Eux beaucoup la trouille.

Willsdorff prend tous les chargeurs du voltigeur, vérifie leur approvisionnement et les glisse dans son ceinturon.

— Tu porteras le F.M.

Il remet lentement sa veste de treillis, puis il sort sa grenade quadrillée de son pantalon et l'accroche par la cuiller à la poche de sa veste avec un regard froid, ironique, un peu las sur Torrens.

— J'aime pas être torse nu tans un accrochage, j' me sens pas bien. J'ai l'impression que le rombier t'en face qui va tirer tonne un coup te coute à son copain : « Regarde je vais me farcir un joli carton... Non, pas celui-là, l'autre à côté qu'est à poil. » C'est con, hein ?

1. Ouh! Gravir la montagne, descendre la montagne, beaucoup fatigué.

Mercredi 29 avril 1953, 14 h 00.

La piste s'enfonce dans une vallée étroite et silencieuse. Torrens change de main sa carabine et essuie sa paume moite sur la manche de sa veste. Il a pris la tête de la colonne. Loin devant lui, à travers la buée fade qui monte des fougères arborescentes, apparaissent parfois les deux silhouettes brouillées de Willsdorff et Ba Kut. Le bruit régulier de leurs pas se mêle au bruissement d'une rivière dans le fond de la vallée. Le couvercle de plomb des nuages immobiles pèse sur la chaleur saturée d'humidité et d'odeurs. L'orage suspendu noue les nerfs, fait courir des frissons dans la nuque comme des décharges électriques. Les supplétifs, isolés dans leur peur, marchent serrés les uns contre les autres, sans un mot, la main sur la culasse de leurs armes. Chaque craquement de branches, chaque roulement de pierres provoque une onde d'angoisse presque perceptible.

La piste s'engloutit toujours plus profondément dans la jungle pétrifiée. Le bruit des pas de Willsdorff et Ba

Kut cesse. Torrens n'a rien remarqué, mais derrière lui les supplétifs s'arrêtent. Le levier d'armement d'un F.M. claque. Torrens se retourne en sursaut. Les supplétifs le fixent intensément, leurs treillis sales exhalent l'odeur acide que la peur donne à la sueur. Torrens immobile écoute un instant le clapotement de l'eau toute proche. Il s'essuie le front avec l'avant-bras et repart en avant. Lentement, les supplétifs se mettent en marche derrière lui dans un cliquetis métallique de culasses verrouillées. La piste contourne un bouquet de bambous; un peu plus bas, Willsdorff, seul, attend la mitraillette à la bretelle.

— Faut traverser là. Le coin a une sale gueule. On pourrait peut-être foutre teux F.M. en batterie pour nous appuyer et parer les lance-patates.

Il a parlé d'une voix sourde. Torrens murmure :

— O.K. Vous croyez... que... ?

Willsdorff hausse les épaules.

— Non... j' sais pas, je suis énervé.

Une odeur de boue tiède stagne dans l'air. Ba Kut est accroupi derrière un grand arbre déraciné au bord d'une falaise. Dix mètres plus bas, l'eau jaune glisse lentement comme de l'huile. L'autre rive est moins accidentée. Au-delà d'un banc de vase se dresse le mur sombre de la végétation.

Torrens arrête la colonne et les supplétifs se dissimulent dans les fougères. Il place les deux F.M. au ras de la falaise derrière un fouillis de plantes et d'arbustes. Willsdorff se passe la main sur la figure et l'égoutte d'un geste sec.

— Putain d'orage... Y a tes traces tans la boue là-bas. Quand on sera passé, envoyez quatre ou cinq rombiers très espacés. Autant éviter te nous faire tirer tous

160

comme tes lapins tans l'eau jusqu'aux miches. Et puis faites gaffe aux poissons perroquet, putain! c'est pas le moment te se faire bouffer les couilles.

Il ricane, dévale la pente et s'engage dans le courant. Ba Kut le suit à bonne distance, légèrement plus en aval. Ils ont de l'eau jusqu'à la poitrine et tiennent leurs mitraillettes devant eux à hauteur du visage.

Torrens porte son pouce à sa bouche et se ronge l'ongle. La jungle en face semble vide. Lointains et silencieux, de grands oiseaux noirs planent en larges cercles.

La rivière devient progressivement moins profonde. A mi-chemin Ba Kut trébuche, tombe à genoux et dérive entraîné par le courant, la mitraillette à bout de bras au-dessus de la tête. Il bute contre un rocher et se relève.

Torrens prend ses jumelles et, mètre par mètre, scrute la rive opposée.

Willsdorff a atteint le banc de vase. Il examine les traces et se remet en marche le dos légèrement courbé.

La sueur coule dans les yeux de Torrens et l'aveugle. Il se passe l'avant-bras sur le front et essuie les lentilles de ses jumelles à un pan de sa veste. Quant il peut observer de nouveau, Willsdorff est à la lisière de la jungle, Ba Kut beaucoup plus à droite court pour le rejoindre en faisant jaillir la boue sous ses pieds. Les deux hommes disparaissent derrière les arbres. Torrens aux aguets attend quelques secondes puis, d'un geste du bras, il lance les quatre supplétifs tapis au bord de l'eau.

Timidement ils pénètrent dans la rivière serrés les uns contre les autres par ce besoin de chaleur humaine qui pousse les hommes inquiets à rechercher la proche présence d'autres hommes.

– Les abrutis! Quelle belle cible!

Torrens se redresse et hurle :

– Les distances, bon Dieu, les distances!

Mollement les quatre supplétifs s'éparpillent.

La jungle en face est toujours vide, silencieuse. Willsdorff et Ba Kut n'ont pas reparu. Torrens se ronge le pouce et crache un petit morceau d'ongle.

Brutalement de courtes rafales claquent assez loin. Dans un roulement de tonnerre les deux fusils-mitrailleurs ripostent longuement. Les balles fouillent la rive, soulèvent la vase, déchiquettent les arbres. La vallée répercute le fracas.

Dans la rivière les quatre voltigeurs sont affolés. Trois d'entre eux se sont allongés dans l'eau. L'un, entraîné par le courant, perd son arme et pousse des hurlements. Le dernier se replie comme il peut en tirant derrière lui sans viser. Par réflexe Torrens s'est baissé aux premiers coups de feu. Les douilles éjectées du F.M. cinglent la terre devant lui. Il se relève.

Avec une joie sauvage, les supplétifs tirent comme des forcenés, n'importe où, ivres du bruit de leurs propres armes. Les lourdes détonations des fusils couvrent le crépitement rageur des M.A.T. 49. Une odeur d'huile brûlée et d'acier surchauffé se mélange à la fumée de la poudre. Torrens hurle :

– Halte au feu! Halte au feu!

Crispés sur leurs gâchettes, les hommes ne l'écoutent pas. A coups de pieds dans les côtes du servant, Torrens fait taire le F.M. à côté de lui. Toujours hurlant il dévale la falaise, se jette dans la rivière et réussit finalement à calmer la folie collective. Les supplétifs, vidés nerveusement, restent les bras ballants, étourdis par le silence. Un coup de fusil et une courte rafale de mitraillette, dédoublés par l'écho, résonnent encore loin dans la vallée. Torrens appelle d'une voix sèche.

– Ty, Ty! Envoie-moi un F.M. Tu restes là en position défensive jusqu'à ce que je te le dise. Vu!

– Oui, chef.

Bousculés par Ty, le servant et le pourvoyeur du F.M. se laissent glisser dans la rivière. L'homme qui a perdu son fusil patauge, les deux bras enfoncés dans l'eau jaune pour le retrouver. Torrens entraîne les autres vers la rive d'en face. Quand il atteint le banc de vase, il se met à courir sur les traces de Willsdorff. Les supplétifs galopent derrière lui en s'éclaboussant et essayent de regarnir les chargeurs de leurs armes. Les traces s'enfoncent dans la jungle par une petite piste sinueuse. Quelques secondes plus tard, Torrens débouche sur Willsdorff accroupi, la mitraillette au poing. Un cadavre viet est étendu à dix mètres de lui; plus loin, un autre corps sort presque complètement d'une civière abandonnée. Les cinq supplétifs que Torrens a entraînés derrière lui arrivent à leur tour en paquet, le souffle court, couverts de boue.

– Attention, tispersez-vous! crie Willsdorff. Y a une tizaine de rombiers planqués tans la forêt.

Une balle claque et ricoche contre un arbre avec un sifflement aigu. Les supplétifs se plaquent au sol.

– Ils tirent comme tes cochons. Ce sont pas tes cracs ceux-là. Xieng, passe-moi ton F.M.

Le servant du F.M. bondit courbé en deux et s'affale près de l'adjudant. Ba Kut siffle pour se faire reconnaître et sort prudemment à reculons de la jungle avec deux paysans laotiens; il annonce calmement:

– Deux civils. Beaucoup la trouille.

Une autre balle fracasse une branche. Willsdorff se

lève, épaule le F.M. et envoie deux ou trois giclées sur un gros arbre à cinquante mètres. L'écho roule longuement comme une riposte lointaine. Terrorisés, les deux paysans se recroquevillent la tête dans les bras. Willsdorff rend son arme à Xieng, place les supplétifs en protection aux abords de la piste, puis revient vers Torrens. Il retire son chapeau de brousse, se frotte le crâne et regarde sa main mouillée de transpiration.

— Putain. On commençait à se sentir peinards et voilà qu'on tombe nez à nez avec ces rombiers. Une tizaine avec quatre ou cinq fusils seulement. Ils ont été encore plus étonnés que nous. Et quand vous avez fait votre numéro, alors là! ils ont foutu le camp comme tes tiables.

Il rigole.

— Faut tire que ça faisait un peu te pétard et que les balles arrivaient jusqu'ici.

Il s'essuie la main sur la fesse et se tourne vers Ba Kut.

— Qu'est-ce qu'ils racontent tes teux civils?

Le sergent ramasse une brindille et la lance vers le cadavre sur la civière.

— Le type c'est chef Viet-Minh. Peut-être capitaine, peut-être commandant, c'est pas connaître. C'est dire: blessé hier soir par les Français de Tao Tsaï.

Les deux paysans tout tremblants de peur se redressent un peu pour faire de grands laïs à Willsdorff en répétant d'une voix enrouée d'émotion:

— Tao Tsaï. Tao Tsaï.

— Alors le poste tient toujours?

Ba Kut reste très prudent.

— C'est pas connaître. Hier, peut-être neuf heures la nuit, ça va.

164

Torrens est assis l'air étrange, à la fois concentré et lointain. Il débouche son bidon et boit à longs traits, la sueur perle immédiatement à son front. Il sort ensuite son paquet de Job. La dernière cigarette est à moitié trempée par l'eau de la rivière. Il coupe la partie inutilisable et essaie sans succès de faire partir ses allumettes mouillées. Willsdorff lui tend la boîte de Roudier, protégée par la capote anglaise.

– Ça ne va pas ?

Le martèlement précipité d'une course dispense Torrens de répondre. Le dernier supplétif, celui qui avait perdu son arme, surgit tendu et ruisselant. Il s'arrête interdit, la bouche ouverte et montre timidement son fusil. Torrens esquisse un sourire.

– Bien. Tu vas retourner là-bas et dire à Ty de venir. Hein ! Tout le monde ici.

– Oui, chef.

Le supplétif, toujours aussi étonné, jette un regard aux deux cadavres viets et repart en courant. Willsdorff replie le chargeur et désarme sa mitraillette.

– J' vais interroger ces teux rombiers. Y aura intérêt à quitter la piste.

Torrens, préoccupé, hoche la tête. Quand l'adjudant s'est éloigné, il s'enfonce les deux poings dans le ventre en serrant les dents, puis il se lève rapidement et va se dissimuler derrière un taillis.

Willsdorff accroupi, les fesses sur les talons fume un peu de tabac noir dans une pipe à eau. Il lance une plaisanterie en laotien et les deux paysans rassérénés rient en se forçant un peu par politesse.

Torrens se joint silencieusement au groupe. Willsdorff rend la pipe à son voisin.

— Vous avez la chiasse?

— Oui, ça me reprend. Après les deux anté-rovioformes, hier, ça allait mieux, mais je pense que le bain de tout à l'heure... Qu'est-ce qu'ils disent?

— Pas grand-chose. Ils ont été réquisitionnés pour transporter ce rombier et tu ravitaillement tans un p'tit blet à une heure t'ici. Un relais sur la rivière. Les Viets leur ont dit que Tao Tsaï était tombé. Louang Prabang aussi. Mais ils ont encore entendu tirailler tans la nuit. Vous ne tevriez pas boire comme ça.

Torrens avale encore quelques gorgées de son bidon avant de répondre.

— Tao Tsaï c'est encore loin?

— Teux heures par la piste... mais on ne va pas prentre la piste.

— Excusez-moi.

De nouveau Torrens, les traits tirés, s'éloigne dans les taillis.

Willsdorff entend le piétinement de la colonne qui approche. Il fait lever les paysans et, quand Ty apparaît, il les pousse en avant.

— Tonne-leur teux coupe-coupe. A partir te maintenant on taille la brousse. Tu les suis, je te rattraperai tès qu'on se sera tégagé t'ici.

Les deux paysans se glissent habilement entre les arbres, saccant au passage dans la masse des lianes et des fougères. Lentement, un par un, dans leur treillis sans couleur, trempés jusqu'à la poitrine, gainés de boue luisante jusqu'aux genoux, les supplétifs suivent. Ils avancent silencieusement d'un pas lourd et méca-nique, le fusil ou la mitraillette sur l'épaule, maintenu en équilibre par le canon. Certains marquent un temps d'arrêt avant de se perdre dans la pénombre du tunnel

166

de végétation. Leurs yeux vides se posent sur l'adjudant puis ils reprennent leur marche apathique. Perrin, son poste radio sur le dos, quitte la file, s'aventure un peu plus sur la piste et se penche avec un mélange de curiosité et de répulsion sur les deux cadavres. L'officier sur la civière, les jambes encore enveloppées dans un morceau de parachute camouflé, est tordu dans une attitude ridicule, penché en avant comme s'il avait voulu faire une culbute. L'autre est allongé sur le ventre, un coude en l'air mais sa tête éclatée, énorme comme une citrouille, est de face. Une petite grenade à manche chinoise trempe dans la flaque de sang. Il porte sur les reins la cartouchière française réglementaire avec huit chargeurs et une mitraillette M.A.T. 49 est coincée sous sa cuisse. Une centaine de mouches bourdonnent tout autour. Perrin ramasse la mitraillette mais n'ose pas défaire la cartouchière. Il sifflote pour se donner de la désinvolture et va pisser contre un bambou.

Quatre balles miaulent. L'une d'elles percute l'officier viet qui achève sa culbute dans la poussière des impacts. Perrin tombe à genoux en se tenant l'épaule. Le F.M. en protection réplique aussitôt.

Un hurlement de douleur monte de la colonne.

Perrin se relève et courbé, la tête rentrée, remonte la piste pour se jeter à l'abri des arbres.

Torrens jaillit de son taillis. Il essuie à bout portant le feu d'un supplétif affolé, s'arrête, abasourdi de n'être pas touché et repart vers les hurlements. Le F.M. tire toujours par petites rafales sèches. Torrens remet de l'ordre dans la colonne. Il n'y a pas de nouveaux blessés mais les porteurs ont lâché leurs civières pour se plaquer au sol et Naï My a basculé sur sa jambe gangrenée.

Perrin, choqué, reste immobile, roulé en boule, la main crispée sur l'épaule. Willsdorff crie, furieux :

— Qu'est-ce que tu foutais là-bas ? Bon Tieu ! Tu vas finir par faire bousiller ton poste !... Qu'est-ce que t'as ?

Perrin ouvre sa main, ses doigts sont poisseux et rouges, un filet de sang court dans les plis de sa veste et s'égoutte par terre.

— J'sais pas, j'ai cru que je recevais un coup de poing.

L'adjudant déchire la manche et fait bouger l'articulation pour voir si elle n'est pas cassée.

— C'est rien tu tout... Ils ont tû se foutre tans les arbres, c'est pas possible autrement.

Perrin achève de reboutonner son pantalon et lance d'une voix mal assurée :

— Les vaches, ils ont buté Gégène... Mon adjudant y a un M.A.T. là-bas. J' l'avais ramassé... Et aussi une cartouchière impec, avec huit chargeurs.

Willsdorff retire le pansement individuel d'une petite boîte qu'il porte accrochée à son ceinturon par des élastiques et l'enroule autour de la plaie.

— Ça t'apprentra à faire le con et à jouer les voltigeurs te pointe.

Il lui donne une tape amicale sur la nuque.

— Allez, fous-moi le camp.

Mercredi 29 avril 1953, 18 h 30.

Diluée dans la végétation, la colonne s'étire sur plus de trois cents mètres. Il fait très sombre et les rares ouvertures vers le ciel ne laissent voir que le poids gris, écrasant, de l'orage. Dans un martèlement de coupe-coupe trois voltigeurs attaquent un massif de bambous. L'épaisseur de la jungle est telle que Ba Kut, en arrière-garde, n'entend rien de ce qu'il se passe en tête et attend que l'homme devant lui reprenne son avance. Les porteurs ont posé leurs civières, ceux de Naï My se sont éloignés un peu pour échapper à la puanteur de sa jambe. Les autres supplétifs restent debout, oscillant sur leurs jambes écartées, penchés en avant pour reposer leurs épaules meurtries par les courroies du sac. Ils se passent continuellement les mains sur la figure pour chasser les moustiques qui tournoient dans un bourdonnement exaspérant.

Les bambous éclatent et se déchirent mais les sommets trop emmêlés ne tombent pas et la muraille de troncs lisses reste impénétrable. Willsdorff, bardé de sacs et de

169

deux mitraillettes, sanglé dans une cartouchière de toile dont les taches de sang ont tourné au brun presque noir, désigne une nouvelle équipe qui attaque les mêmes bambous un peu plus haut, creusant un véritable trou dans le massif. Les trois voltigeurs remplacés reculent de quelques pas en titubant, serrés dans l'étroit boyau de la piste qu'ils viennent de tailler et vont s'affaler plus bas dans les fougères. Willsdorff revient vers Torrens assis à côté des deux paysans.

— Y en a pour cinq minutes maintenant.

Il enlève ses sacs, s'étire, se gratte l'aisselle, entrouvre sa veste et découvre deux grosses sangsues collées sous son bras. Il frotte une allumette et promène la flamme tout contre sa peau pour leur faire lâcher prise.

— Tans le Telta, j'ai vu tes tanks arrêtés par les haies te bambous tes villages. Au canon ils tiraient tetans et ils ne passaient pas.

Les deux sangsues tombent l'une après l'autre. Willsdorff les écrase du pied. Une giclée de sang, comme un crachat, jaillit sous son pataugas. Torrens se gratte furieusement les poignets, se lève et s'écarte un peu dans les fougères tout en ayant soin de rester bien en vue pour qu'on ne lui tire pas dessus.

— C'est pas la chiasse, c'est sûrement la tysenterie, ça, lui crie Willsdorff. Vous auriez tû bouffer un peu t'opium, c'est encore ce qu'il y a te mieux.

Le trou percé assez large pour laisser passer les civières, la colonne se remet en marche avec résignation.

170

Deux heures plus tôt les supplétifs s'étaient arrêtés le nez en l'air pour écouter un lointain ronronnement d'avion. Les sourdes explosions des bombes qui se répercutaient en roulant de vallée en vallée comme un tonnerre d'été leur avaient donné un peu d'énergie. Perrin dans sa joie avait allongé un grand coup de pied dans le derrière de Ba Lu devant lui.

– Tu entends! Tête de lard! Qu'est-ce qu'ils prennent. Les vaches. J'aime mieux être à ma place qu'à la leur.

Ba Lu s'était retourné hargneux, mais Perrin, le coude levé pour se protéger, avait protesté narquois :

– Tu vas pas battre un blessé, non!

Deux heures de piétinement, de sangsues, de moustiques ont usé cet optimisme passager et maintenant il ne reste plus qu'un cheminement opiniâtre de fourmis sous l'immense jungle immobile...

Les deux paysans s'arrêtent et attendent que Willsdorff et Torrens soient arrivés à leur hauteur. Ils montrent une ligne d'arbres toute proche qui se détache en noir sur les nuages.

– Tao Tsaï.

Torrens hâte le pas et escalade rapidement les derniers mètres. Willsdorff le suit plus lentement et le rejoint au bord d'une paroi calcaire presque verticale qui domine de cent mètres une large cuvette.

Cinq ou six villages aux belles maisons de teck s'éparpillent parmi les rizières le long d'une rivière paresseuse. Sur une petite croupe au pied des calcaires, bien dessiné comme un plan de Vauban, avec ses redoutes, ses sapes en zigzag et sa tour de guet, s'étale le poste de Tao Tsaï. A moitié démantelé par les explosions de bombes, il brûle.

171

Torrens est debout, immobile, les bras croisés sur la poitrine. Derrière lui les deux paysans se sont accroupis sur leurs talons. Willsdorff prend ses jumelles. Tao Tsaï brûle et la fumée noire traîne par bancs avant de se dissoudre dans la brume crépusculaire. Une quinzaine de silhouettes abandonnent le poste et descendent vers la rivière, par la piste, en contournant les cratères des bombes qui ont manqué leur objectif. A travers les jumelles il semble que ce soient des Viets en uniforme chargés de caisses et de sacs. Quelques buffles traînent par bandes dans les rizières. Les villages sont presque déserts. Aucun enfant ne joue avec les cochons sous les pilotis.

L'un après l'autre, les supplétifs arrivent. Impressionnés par le silence de leurs chefs, ils s'allongent par petits groupes chuchotants. Willsdorff laisse tomber ses jumelles et jette un coup d'œil furtif sur Torrens. Il est toujours immobile, dégingandé, un peu voûté, les bras croisés sur la poitrine. Willsdorff remarque pour la première fois les ravages de la dysenterie ; ses joues d'adolescent imberbe, ridées, desséchées, tendues sur les pommettes, son teint jaune et ses yeux. Profondément enfoncés dans leurs orbites, cerclés de noir, ils brillent d'un éclat mouillé.

Willsdorff tripote la mise au point de ses jumelles.
— Il fallait s'y attentre...

Torrens ne répond pas. Willsdorff l'observe à nouveau. Torrens n'a pas l'air d'avoir entendu ; son visage est figé, sans un mouvement de muscles, mais ses yeux immenses, encore agrandis par le cerne, expriment un désespoir pathétique.

Se sentant guetté il baisse la tête et fouille dans ses poches.

– Merde... Merde, merde, merde. J'ai même plus une cigarette.

Willsdorff en sort une, la lui tend et l'allume.

– Tu m'as quand même eu... Je ne croyais pas que tu arriverais à les amener jusqu'ici.

La tête toujours baissée, Torrens tire une bouffée de la cigarette et s'essuie les yeux à la manche de sa veste. Il ricane.

– J' me suis collé de la fumée dans l'œil... Je le savais. Je le savais tout le temps.

Il se retourne brusquement et contemple avec amertume les supplétifs affalés autour de lui. Leurs treillis sont déchirés et sales avec de grandes taches blanches de sel aux aisselles et dans le dos, leurs pantalons en lambeaux laissent voir les genoux, certains même n'ont plus qu'une jambe, leurs chaussures de brousse tailladées et usées tiennent parfois par des ficelles. L'état des hommes est pire encore ; sous leurs masques luisants de crasse et de sueur, couverts de petites écorchures suppurantes, derrière leurs regards éteints, on sent l'hébétude et la résignation des vaincus.

Torrens tire une longue bouffée de sa cigarette et annonce d'une voix décidée.

– Tao Tsaï est tombé. O.K. On continue sur Louang Prabang. On reste ici cette nuit. Demain départ à cinq heures. Perrin, installe ton poste...

Il aspire encore une bouffée, éteint le mégot sur le talon de sa chaussure et le glisse dans sa poche.

– On a déjà fait le tiers du chemin, quand même... Ça sera plus facile maintenant.

Willsdorff enchaîne aussitôt :

– Planquez-vous tans la forêt. Je ne veux voir personne sur la crête. Nettoyage tes armes. Ba Kut, tu fais le compte tes munitions. Ty tu vois les malates. Compris ?

Sans un mot les supplétifs se relèvent en boitillant et pénètrent de quelques pas dans la jungle où ils se laissent tomber.

Le fond de la cuvette devient indistinct. La chaîne de montagnes fond sa masse dans les nuages sombres. Quelques grands oiseaux noirs planent encore très haut.

Un léger ronronnement d'avion vibre dans le silence. Les soldats Viet-Minh sur la piste du poste se mettent à courir et disparaissent sous les arbres qui bordent la rivière. L'avion, un petit monomoteur, approche lentement à faible altitude et amorce un large cercle au-dessus de la cuvette. Willsdorff le suit dans ses jumelles.

— Ça toit être le... C'est le Beaver te la C.L.C.T. Perrin, Perrin. Bon Tieu, ta ratio est prête ?

Ba Lu est en train de visser fébrilement les derniers éléments de l'antenne. Perrin de sa main valide règle la fréquence.

— Oui, mon adjudant. J' vais l'appeler sur 5340 kilocycles. Y doit être en Q.A.P.

— Témerte-toi.

Willsdorff suit toujours l'avion. Il explique à Torrens :

— C'est Telpierre le pilote. Un copain. Il a tû être réquisitionné... Mais j'y pense, c'est lui certainement qui t'a téposé y a quinze jours. Bon Tieu Perrin ?

— Ça vient. Pédale Ba Lu, vas-y.

La dynamo ronronne.

— Qu'est-ce que c'est déjà son indicatif : Kilo... kilo...

174

quelque chose. J'ai oublié... Et merde. Beaver de Lima Bravo. Répondez. J'écoute.

L'avion a presque terminé son tour. Perrin reprend son appel.

— Beaver. Beaver de Lima Bravo, répondez, j'écoute.

— Lima Bravo de Beaver Alfa Kilo j'écoute.

Dans le grésillement du poste la voix est froide, presque indifférente, avec cette prononciation précise, syncopée, particulière aux pilotes. Willsdorff a un large sourire. Il prend le micro et fait signe à Ba Lu.

— Alfa Kilo. Ici Willsdorff. C'est toi Telpierre. J'écoute.

— Willsdorff! C'est pas possible! Je croyais qu'ils t'avaient eu. Vous êtes considérés comme disparus depuis trois jours. Comment ça va?

Torrens donne un coup de coude à l'adjudant.

— Demande-lui un parachutage, demande-lui un parachutage.

Willsdorff hoche la tête.

— Alfa Kilo. Ça va... comme ça. Il nous fautrait un parachutage. Munitions. Rations te survie. Méticaments. Bien compris?

— Affirmatif, Lima Bravo, affirmatif. Dis-moi où et quand. J'écoute.

Le Beaver qui commençait à s'éloigner vire de bord et revient en longeant les calcaires. Willsdorff réfléchit un instant.

— Alfa Kilo. Le plus vite possible. Je ne peux pas te tire exactement où mais tans le secteur. Peut-être un peu plus tans la tirection te l'entroit où on a tué le tigre l'année ternière. Bien compris, à toi.

Dans un grondement puissant le Beaver passe à quelques centaines de mètres au-dessus des supplétifs.

175

– Affirmatif. Le tigre de ton sergent laotien, Ba... Ba Truc. J' me rappelle plus, en juillet 52. A toi.

– Affirmatif Alfa Kilo.

– Lima Bravo demain j'ai une mission près d'ici. A partir de dix-sept heures, je répète dix-sept heures, prends l'écoute. Tu me guideras. Je suis à court de jus, je rentre. Tu l'auras ton parachutage. A toi.

– Bien compris Alfa Kilo. Merci. Bois un cognac sota bien glacé à notre santé au bungalow, *Chez Pierre*. Terminé.

La réponse du pilote se perd dans des crachotements et des bribes de phrases incompréhensibles.

– Qu'est-ce que c'est que cette histoire de tigre ?

Willsdorff va répondre quand une voix très claire au fort accent vietnamien se détache des bruits de fond du poste radio.

– Soldats français. Soldats français de Lima Bravo, vous êtes perdus. Personne ne peut plus rien pour vous. Rendez-vous à l'armée de la République Démocratique du Viet-Nam. Vos blessés seront soignés comme les nôtres. Soldats français cessez cette guerre fratricide...

D'un coup sec Torrens a coupé le contact. Il se gratte le poignet, furieux.

– Ma parole, mais ils se foutent de nous! Ça alors!

Willsdorff pensif ferme complètement le col de sa veste et secoue plusieurs fois la tête pour chasser les moustiques qui bourdonnent autour de ses oreilles.

– On n'est pas sorti te l'auberge.

Le ronronnement de l'avion s'éloigne vers le sud et s'éteint progressivement dans le silence du crépuscule.

Perrin sort le manipulateur morse de sa sacoche.

– J'appelle quand même Louang Prabang ?

Il lève les yeux sur Torrens et soudain annonce, sidéré :

176

— Merde! Y a un blessé qui se barre!

Naï My avait été mis un peu à l'écart à cause de l'odeur infecte de sa blessure. Il a réussi à se retourner sur le ventre et essaye de ramper en traînant son cadavre de jambe. Willsdorff se lève et va s'agenouiller près de lui.

— Naï My qu'est-ce qu'il y a? Ça va pas?

D'un ton apaisant, il ajoute quelques mots en laotien. Naï My penche un peu la tête et le regarde avec l'humilité d'un chien triste. Il ouvre la bouche mais n'arrive pas à parler. Alors ses mains s'agrippent aux racines, ses ongles raclent la terre, il se tend et avance encore de quinze centimètres. Les mouches dérangées par le mouvement se reposent immédiatement sur sa jambe énorme, gonflée, prête à craquer. Des asticots grouillent dans les chairs verdâtres découvertes par les pansements arrachés. Willsdorff le prend aux épaules et le retourne avec précaution.

— Qu'est-ce que tu veux?

Un peu partout autour d'eux les supplétifs ont installé leur bivouac. Par petits groupes ils ont délimité des portions de jungle avec leurs sacs et rêvassent allongés dans leur domaine en fumant des bribes de tabac roulées dans des feuilles de bananier. Certains comptent leurs cartouches étalées en vrac devant eux sur un poncho. D'autres démontent leurs armes et les nettoient avec leurs brosses à dents.

— Qu'est-ce que tu veux Naï My? Qu'est-ce que tu veux?

Les yeux du blessé sont fixés droit devant lui.

Willsdorff remarque le bidon d'un supplétif posé sur un sac.

— Tu veux boire?

Il prend son propre bidon accroché à son ceinturon, le débouche et l'approche des lèvres entrouvertes. Naï My boit avec une avidité de bête, puis il se laisse reposer et couvrir d'une toile de tente sans faire un geste.

Willsdorff revient lentement s'asseoir près de Torrens.

– Il est foutu. Une fièvre te cheval. Il sera mort temain.

Torrens l'air buté se passe du repellent sur les poignets, les mains et le visage. Il tend la petite bouteille à l'adjudant.

– Tu en veux ?... Tu crois qu'on l'aura ce parachutage ?

Willsdorff prend la bouteille et la fait sauter deux trois fois dans sa main.

– Si Telpierre le promet... c'est un rombier honnête. C'est lui qui nous troppait le courrier à Luong Ba. Plusieurs fois il nous a ravitaillés en opération... Ils ont tû prévoir le coup à Louang Prabang, on ne toit pas être les seuls à grenouiller tans la nature.

Un long silence.

– Te toute façon ça sera trop tard pour Naï My. Il faudrait lui couper la jambe. Même pas, la tésarticuler... et encore...

Il renifle ses mains avec dégoût.

– Ce que ça pue la gangrène. Comme les vieux catavres au tégel.

La corvée d'eau bringuebalant ses bidons s'éloigne. La nuit tombe doucement mais aucun souffle d'air ne vient adoucir l'atmosphère oppressante de l'orage. Dans le cirque de Tao Tsaï des centaines de petites lumières s'allument et se mettent en marche vers le sud.

Mercredi 29 avril 1953, 20 h 15.

« Ici Radio-France-Asie. Et voici notre bulletin d'informations. Au micro : Thérèse Augier.

« La situation au Laos.

« Dans le nord les bataillons Viet-Minh s'acharnent toujours sur les dernières forces franco-laotiennes. D'heure en heure l'État-Major suit les messages des défenseurs. L'aviation d'assaut participe activement à la bataille en pilonnant les pistes, les zones de concentration de troupes et les postes évacués.

« Ban Nam Bac est tombé. On ignore le sort de la garnison. Mais Tao Tsaï et Muong Khoua tiennent toujours héroïquement.

« Si l'on en croit une dépêche de dernière heure de l'agence Reuter, la situation militaire semble évoluer vers une nouvelle phase. En effet, selon Reuter, deux colonnes Viet-Minh, fortes chacune de deux bataillons, seraient parvenues sur le Mékong à dix kilomètres de Louang Prabang. Des accrochages de patrouilles auraient eu lieu avec le sixième bataillon de parachutistes

179

du commandant Bigeard transporté quelques jours avant dans la capitale. Une période extraordinaire est donc terminée. Celle où les Viets ont pu avancer de trois cents kilomètres dans l'intérieur du Laos sans avoir à se battre sérieusement. Maintenant la guerre va commencer.

« De Hanoï : Activité accrue des Viets dans le delta. Sur la route Mandarine à... »

— Elle doit bien baiser la petite salope. Elle a une voix bandante. Elle m' fait penser à ma charcutière.

Le rire de Perrin reste sans écho.

— Bon.

Il gratte son bras blessé qui est mal protégé par la manche déchirée de son treillis et commence à démonter l'antenne en chantant à mi-voix :

— Et Thérèse – Quand elle baise – A le cul comme de la braise...

L'odeur pharmaceutique du repellent flotte dans l'air tiède sans pour autant diminuer l'agressivité des moustiques. Il fait nuit et seule une vague lueur est encore visible dans le ciel à l'ouest. Torrens emprunte le bidon de Willsdorff et boit longuement, puis il sort son mégot. Sans succès il frotte rageusement cinq ou six allumettes et les jette en jurant. Il fouille dans toutes ses poches et finit par trouver la boîte de Roudier dans la capote anglaise.

A la lueur fugitive de la flamme, Willsdorff voit les rigoles de sueur qui roulent sur son visage ravagé.

— Tu as pris tes pastilles t'antérovioforme ?

Torrens se lève et se met à marcher de long en large en donnant de temps en temps de violents coups de pied dans les fougères qui dérangent ses pas.

— Alors la guerre va commencer !

Le point rouge de sa cigarette brille violemment comme il aspire une bouffée.

– Elle a bien raison cette petite. Elle a drôlement raison.

Il s'arrête brusquement et se plante devant Willsdorff. Le point rouge brille une dernière fois et décrit une courbe avant d'éclater au sol dans une petite gerbe d'étincelles.

– Je vais vous dire quelque chose, ça va peut-être vous faire bondir. Y a une heure que j'y pense. Voilà. On est dans... on n'est pas sortis de l'auberge, hein ? Je ne sais pas si on arrivera à Louang Prabang. Alors voilà, j'ai pensé... Donne-moi une cigarette. Demain matin on va se payer les Viets du village. Le village des deux paysans.

Willsdorff sort deux cigarettes d'une capote anglaise. Il en tend une à Torrens et allume tranquillement l'autre.

– Ce sont les ternières. Tu feras bien te te mettre à la pipe à eau comme moi. Ça coupe un peu les pattes au tébut mais on s'y fait.

Torrens, la cigarette aux lèvres, attend la suite mais Willsdorf se cale confortablement et aspire une longue bouffée. Un léger reflet rouge luit sur ses joues humides de sueur. Torrens déconcerté gratte une allumette et la garde à la main.

– Vous... tu ne dis rien ?

Il allume sa cigarette et souffle la flamme au moment où elle allait lui brûler les doigts. Willsdorff s'étire et se laisse tomber négligemment.

– C'est toi le patron, non ? J'écoute.

Torrens s'éloigne de deux pas et revient se placer en face de l'adjudant.

— Très bien!...

Le ton de sa voix a changé, il est froid et coupant.

— ... Je voulais simplement vous demander votre avis.

— Vous vexez pas mon lieutenant, vous vexez pas, je rigolais.

Willsdorff s'est levé d'un bond. Il se frotte violemment l'oreille.

— Putain te moustiques! Ils commencent à m'emmerter ceux-là! J'allais justement vous tire... Te faire une proposition. Tu as raison. On n'arrivera jamais à Louang Prabang. Se taper cent cinquante bornes au milieu tes Viets, impossible. Bon! Notre seule chance, je crois, c'est te remonter tans le nord-ouest vers Phong Saly. Tans teux trois jours on sera assez loin tes grantes vallées te pénétration pour être peinards. Après on sera vite chez les Méo. Ils sont organisés en maquis t'autotéfense. C'est ce qu'on voulait faire tout au tébut avec Ba Kut. Et puis on est tombé sur ce blet où vous aviez roupillé et on a técité te vous courir après... Le tigre c'est ça. Un cote pour tire à Telpierre qu'on allait remonter tans le nord.

— C'est vrai, qu'est-ce que c'est que cette histoire de tigre? demande sèchement Torrens.

— Ben, en juillet, l'année ternière, on a escorté un convoi vers Phong Saly, par la piste de Malasa. Ba Kut a tué un tigre. Au P.M. On a tonné la peau à Telpierre. Il l'a envoyée à sa femme. Elle l'a foutue en l'air parce que, elle a dit, c'était bourré te petites bestioles. Maintenant pour ton petit rait...

Willsdorff hésite.

— ... Ce n'est pas le moment, enfin je ne pense pas. Ne nous faisons pas remarquer. Tirons-nous te ce

182

mertier sur la pointe tes pieds et on verra plus tard. Voilà. Voilà ce que je pense.

Torrens reste longtemps silencieux, le point rouge de sa cigarette brille rapidement plusieurs fois. Ba Kut arrive en tâtonnant avec un petit bol et une casserole d'eau chaude qu'il dépose aux pieds de l'adjudant.

– Le thé. Non, pas le thé, l'herbe cuit, c'est bon pour la chiasse.

Willsdorff s'assoit et remplit le bol.

– Tiens, vas-y. Putain c'est chaud! Attention. Vas-y, ça te fera tu bien.

Torrens s'assoit à son tour, prend le bol, souffle dessus pour refroidir un peu la tisane et aspire bruyamment une gorgée.

– Phong Saly. Enfin, tes maquis méo... très bien, c'est une très bonne idée. Mais avant on peut faire notre coup. C'est une occasion unique. Écoute, on a des guides, on sait qu'on va trouver là-bas un groupe à tout casser, on arrive, on fiche tout en l'air, on disparaît.

– Nos rombiers sont crevés.

– Crevés! Ils sont crevés, pas étonnant, depuis trois jours on se sauve la paille aux fesses en tremblant à chaque tournant de la piste. Ils sont crevés! Ils sont surtout dégonflés. Écoute. Demain on cache les blessés, les paquetages, les petites natures dans la forêt, on forme un commando léger, vingt types, bien armés, on fonce bride abattue... la charge de la brigade légère.

– Les Viets savent qu'on est là. T'as entendu. Ils vont prentre tes précautions.

– Oui, les Viets savent qu'on est là. Ils savent qu'on a des blessés. Ils savent qu'on n'a plus de munitions, plus de vivres, plus de médicaments, c'est vrai d'ailleurs, sauf pour les munitions, on en a encore pas mal.

Ils savent qu'on aimerait bien rentrer chez nous tranquilles. Ils savent qu'on n'a plus d'esprit offensif. Erreur, mon vieux. Erreur. Mon aile droite est enfoncée. Mon aile gauche recule. Mon centre pile : situation excellente, j'attaque.

Torrens s'arrête essoufflé et ricane légèrement, pour atténuer l'effet de sa tirade. La tisane s'est refroidie et il peut boire quelques gorgées sans trop se brûler. L'adjudant reste silencieux.

— J'en ai marre, Willsdorff, tu comprends. J'en ai marre de me sauver comme un romanichel. J'en ai marre des Viets, j'en ai marre, j'en ai marre... Enfin, Bon Dieu quand même. « Rendez-vous, vous êtes foutus. » Ils nous prennent pour quoi ? Ils aiment la guérilla ? Eh bien, je vais leur en donner de la guérilla, moi !

Willsdorff éteint proprement son mégot.

— Oui... Je ne sais pas. Faut pas s'énerver. Qu'est-ce que tu en penses, Ba Kut ?

De la nuit monte un grognement.

— Peut-être c'est mieux foutu le camp Phong Saly. Peut-être c'est bien quand même foutu le bordel village les deux types. Pas beaucoup le Viet-Minh. Dire peut-être dis' types. Moyen casser tout. Après foutu le camp. Phong Saly c'est bon...

Perrin coupe la parole au sergent.

— Moi, j'irai bien avec vous mon lieutenant.

— Toi on ne te temante rien. Te toute façon tu es ratio et on a besoin te toi pour le parachutage.

— Mais, mon adjudant, Ba Lu...

— Pas question.

Il s'esclaffe.

— Vous avez tous bouffé tu lion, ma parole ! Bon !

184

Avec un peu te pot on va bousiller tix Viets, avec un peu te pot! Et alors, on aura gagné la guerre? Un bataillon viet au cul. Voilà ce qu'on va gagner. Aussi sec. Tout à fait inutile.

Torrens se ronge le pouce et proteste d'une voix hachée :

— Inutile, inutile, bien sûr dix Viets... et alors? Je m'en fous moi que ce soit inutile. D'abord il n'y a pas de combat inutile. Et puis ils m'emmerdent, ils se prennent pour des rois. Les rois de la montagne. Ça me met en colère, moi. Et l'autre idiote : « Maintenant la guerre va commencer... » Les rois, mon vieux, en France on leur coupe le cou. Je trouve ça très bien.

Il sirote quelques gorgées de tisane et reprend calmé :

— C'est complètement idiot ce que je te raconte, tu as raison : faut pas s'énerver. Non, écoute. On va attaquer ce village. Ça nous fera tous du bien. Et puis ça les embêtera quand même un peu. Et puis si jamais on n'arrive pas à Phong Saly, eh bien... Tiens, bois un peu de cette espèce de thé dégueulasse.

Sans un mot Willsdorff prend le bol et reste un long moment immobile avant de commencer à boire.

Un frémissement agite les arbres dans la nuit et un léger souffle tiède caresse les joues des hommes, active l'évaporation de la sueur et leur donne une impression de fraîcheur. Torrens pousse un long soupir.

— Ça fait du bien. Cette chaleur commençait à me taper sur le système... Alors Willsdorff, on se les paye ces Viets? Après on ira chasser le tigre.

Il éclate d'un rire heureux.

— Bon Dieu il fait presque frais.

Willsdorff lampe une gorgée de tisane et jette le reste par-dessus son épaule.

— Vous me faites penser à un rombier. Un trôle te rombier. En 45. Le 29 avril 45, non, le 30. Je ne me rappelle plus. Bon ça n'a pas t'importance, quatre jours avant à Hambourg, manque te pot! j'avais été embarqué comme tispatcher sur un Ju 52. Pour ravitailler Berlin. On balançait tes sacs te riz. Ça brûlait tessous, une chiée te traçantes argentées et roses, la Flak qui montait tout toucement tout toucement et filait tout à coup comme... comme... un vrai bortel. Enfin c'est pas ça l'histoire. Le Ju en prend un coup, un moteur crame, un autre téconne, bon! Le pilote, pas tégonflé le rombier, un vieux con mais pas tégonflé, il repère une grante avenue, essaie te se poser, capote. Je m'en sors avec le teuxième pilote, un peu cabossés mais intacts. Au tébut, on avait la trouille te se faire couper les couilles, t'être chez les Yvans, mais non. Le rombier, là, le copilote m'a traîné avec lui. On a fini par atterrir tans les caves tu Ministère te la Luft... te l'aviation quoi. Un matin, le 30, non, le 29, c'est bien le 29, il y a huit ans exactement, c'est trôle. Bon. Tes rombiers arrivent en gueulant, très excités les rombiers : on monte un kampfgruppe pour tégager un bataillon encerclé. Allez, rausse! Je me retrouve chef te section. J'étais sergent et te l'armée te terre, tous les autres c'étaient tes aviateurs, tes bureaucrates... Chef te section, avec une MG 42. Teux ou trois Sturm G, tes fusils t'assaut un peu le genre tu MI U.S. tu vois, mais mieux, avec un chargeur te trente-six cartouches. Et puis aussi une poignée te panzerfaust. On file vers la Belle Alliance. Putain! un massacre, forcément, tes bureaucrates! Les jabo, leur espèce te saloperie te Stormowitz, et l'artillerie nous tapaient tessus et aussi l'infanterie, tans les caves sur notre troite. Les Viets

186

s'étaient infiltrés en pagaille autour tu Bunker t'Anhalt. Tevant c'était le bout te la place et la Wilhelmstrasse. Tes ruines, te la fumée, les jets tes lance-flammes et le cliquetis te chenilles tes chars. Heureusement teux carcasses te T 34 bloquaient la piste aux autres. Bon, moi et ma section on s'en tire pas trop mal et vers cinq heures on tonne la main au bataillon encerclé... Maintenant je vais te tire, le bataillon, c'étaient tes Français. Un jeune aspi, peut-être vingt ans, l'air t'un gamin te rien tu tout, un vrai gamin ! Même pas te barbe et quinze rombiers peut-être, une compagnie... Je suis resté avec eux jusqu'à la nuit. C'est lui qui m'a tit te me sauver, le jeune aspi, te me mettre en civil comme un S.T.O. et t'attendre les Américains. Parce qu'il croyait que les Américains arrivaient le gamin ! Il était blessé au bras comme Perrin, mais il te ressemblait. Il m'a tit :

« Nous, c'est pas pareil, on sera pentus. Vive la mort ! »

Et il rigolait. Quand je suis parti, une accalmie, les Viets leur tiraient tessus seulement au canon, pas les Viets, les Russes. Ils chantaient tous :

« Peuvent pleuvoir – Grenates et gravats – Notre victoire – En aura plus t'éclat... »

Le vent léger amène avec lui l'odeur de cadavre de Naï My. Torrens jette son mégot, remplit le bol et s'éloigne vers la crête. Il regarde un moment toutes les petites lumières qui glissent lentement sur la piste, vers le sud.

– Moi, quand j'étais jeune, je voulais être marin...

Il bâille et vide lentement le bol.

– ... Willsdorff tu vois, si on en sort, on se payera chez... A Louang Prabang chez... Comment l'appelles-tu déjà ?

– Quoi ?

– Le bistrot, tu sais, à Louang Prabang.

– Ah, le Bungalow, *Chez Pierre ?*

– C'est ça, *Chez Pierre.* Eh bien, on se payera *Chez Pierre* une soirée à tout casser.

Il se tait, engourdi, un peu saoul de fatigue, de chaleur, d'odeurs, de tisane. Il s'allonge sur le ventre, la tête dans les bras.

– On fumera des cigares... Tu vois Willsdorff...

– Quoi ?

– Non rien... Tu crois que Louang Prabang va tomber ?

– Je ne crois pas. Non.

– Et Phong Saly ?

– Non... Enfin je ne sais pas. Je ne crois pas.

– Même si elle tombe... Eh bien mon vieux on marchera, « ils marchaient toujours l'âme sans épouvante et les pieds sans souliers et »... quelque chose, je ne me rappelle plus... « soufflant dans des clairons d'airain ». On passera en Birmanie, toujours « soufflant dans nos clairons d'airain ». Non c'est pas soufflant, c'est chantant. Après on descendra l'Irraouaddi en pirogue... Tu sais, moi, j'aurais voulu être marin. J'ai loupé Navale, mais j'ai pas mal fait de bateau, sur les petits monotypes Herbulot le jeudi à Sartrouville. C'était agréable. Et moins fatigant que ta marche à pied dégueulasse...

Ils eussent, sans nul doute, escaladé les nues,
Si ces audacieux
En retournant les yeux dans leur course olympique,
Avaient vu derrière eux la grande République
Montrant du doigt les cieux.

188

C'est la fin du... des clairons d'airain. Tu vois, Willsdorff, la marine : c'est de la merde. La barre à zéro. Gouvernez comme ça !

— Vous êtes fatigué mon lieutenant, vous devriez...

— Non. Je suis très bien. S'il n'y avait pas ces moustiques, je serais heureux. Si j'avais une cigarette aussi..

Torrens lève la tête, s'appuie sur son coude et ajoute sans transition :

— Tu dois avoir la croix de fer. Pourquoi étais-tu dans l'armée allemande ? Dis ? Par conviction ?

— J'ai été mobilisé.

L'adjudant se lève et rejoint Torrens sur la crête.

— Qu'est-ce que vous croyez tonc tous ? L'Alsace était Volk Deutsche. Comment tire. Annexée... Par conviction !

Il pousse un soupir et reprend sans passion :

— En 70, mon grand-père est resté ; son frère, lui, est parti. Il s'est installé en Algérie, un petit blet tout neuf. Rouget-te-Lisle. Parce qu'il voulait rester français. Il y est toujours, pas lui bien sûr, ses enfants. Ils tiennent un bistrot *Au Coq Glorieux*. En 14, mon père a filé en France. Il a terminé la guerre comme sergent, avec la croix te guerre, en Serbie, sous les ortres te Franchet t'Esperrey. Mon cousin a foutu le camp en 42. Il est revenu en 44, avec te Lattre. Seulement mon oncle, son père, était mort au Struthoff, à Schirmeck quoi, un camp boche. Moi, j'ai été mobilisé en 41, pour le front te l'est. On nous appelait les « Malgré-nous ». Voilà.

— Excuse-moi Willsdorff... Je ne voulais pas te vexer.

— Tu ne me vexes pas. C'est vrai, j'ai servi tans l'armée allemante... Ça m'emmertait, mais enfin faut pas non plus... quoi, il y avait la camaraterie te combat.

189

Et puis quand même Smolensk, Voronège, Koursk, Bielgorod, Kharkov. Putain! Les grantes nuits rouges et les champs te tournesol immenses. Et le IIIe Panzer Korp tans la neige à Lysjanka, le 18 février 44, après la trouée te Tcherkassy. Teux rombiers casqués tans la brume. Teux panzer grenatière. Putain! Je les ai embrassés... En 46, je me suis retrouvé à Mulhouse, après tout un bortel pour éviter te me faire chopper par les Russes. J'ai fait trois ou quatre boulots tifférents.

Il ricane.

— Représentant en articles te cuisine. Je me suis engagé tans l'armée, pour l'Intochine... Atieu, vieille Europe que le tiable t'emporte. Je vais te tire, tu vois, mon pays c'est le Laos. Quand j'aurai fait mes quinze ans, tans huit ans, je resterai ici. Avec Ba Kut on montera une petite affaire. On ne sait pas encore quoi, hein Ba Kut? On verra. Peut-être le benjoin. Vous savez ce que c'est, le benjoin?

— Vaguement, un produit pharmaceutique. Non?

— Oui, pour les parfums aussi. Le seul boulot c'est te bien le trier. Les Thaïs rouges le récoltent tans le région te Sam Neua au tébut te la saison sèche. Ça sent bon, comme te la vanille. Une sorte te résine sèche. C'est pas une résine, ça coule tes arbres mais c'est pas vraiment une résine... C'est la sueur tes arbres (il sourit légèrement). C'est normal, au Laos, on tit toujours : « Il n'y a que le bois qui travaille... » Moi je voutrais une baraque au bord te la rivière, tans une te ces petites vallées tu Nord. Muong Lay. La vallée te l'amour. Tu ne peux pas savoir comme c'est joli, le soir, pentant la saison sèche. On va se baigner tans la rivière, il ne fait pas trop chaud. Les filles et les enfants sont un peu plus bas. On les entend rigoler. Après tu vas te taper un petit coup te choum en fumant la pipe à eau, tu es tranquille, tu es libre, tu tis : temain on travaillera... peut-être.

Il est secoué d'un long rire silencieux et montre la cuvette.

— En attendant temain on risque te se retrouver au 317e balanciers. Chaque torche représente un groupe, peut-être une section... ça fait tu monte. On ferait mieux t'aller roupiller... Je vais aller contrôler les sentinelles.

Torrens bâille.

— A quoi bon! Elles vont dormir comme la nuit dernière.

Willsdorff ironise :

— Tu ne voutrais pas te réveiller temain sans tes teux guites par hasard. Tu as appris pas mal en trois jours, mais je vais quand même te montrer quelque chose.

Il va vers la silhouette à peine visible d'un supplétif accroupi sur la crête.

— Sou! Grenate!

L'homme se relève en sursaut, fouille dans ses cartouchières et sort une grenade O.F. en tôle. Willsdorff en retire la goupille de sécurité, la glisse dans sa poche et, retenant soigneusement la cuiller, rend la grenade au supplétif.

— Pas dormir! Hein! Sou!

— Oui, chef!

Le rire de Sou se perd dans le vent tiède de la nuit qui glisse vers la Chine.

Jeudi 30 avril 1953, 09 h 15.

Tapis dans l'ombre humide d'un ravin, Ty et seize
supplétifs attendent. Leurs figures portent la trace des
fatigues de quatre jours épuisants, leurs treillis tout
mouillés de rosée sont sales et déchirés, mais, allégés au
maximum, ils sont tous équipés d'armes automatiques
dont l'acier bien graissé luit légèrement. Les deux
guides somnolent serrés l'un contre l'autre pour se
réchauffer. Plus haut, sur un éperon calcaire, Willsdorff et Ba Kut observent.

Vingt mètres en contre-bas, dans une clairière inon-
dée de soleil, coincées entre la montagne et la rivière,
une douzaine de paillotes sur pilotis s'alignent de part
et d'autre de la piste. L'autre flanc de la gorge est
abrupt, de grands pans de jungle à contre-jour, d'un
noir velouté, tombent verticalement dans l'eau verte.
L'air est frais et une multitude de bruissements, domi-
nés par le grincement de crécelle des cigales, montent
de la forêt. De temps en temps un coq chante. La fumée
bleue des feux du matin s'étale en nappe souple. Des

poulets picorent, des hommes paressent, se chauffent au soleil, des femmes s'affairent, une bande d'enfants joue au milieu du village près d'un grand arbre au tronc blanc qui étend ses branches au-dessus de la rivière. A travers ses jumelles Willsdorff voit un petit garçon couvert d'une chemise rouge trop courte, à cheval sur un cochon, épauler un bâton en hurlant :

– Pan! Pan! Pan!

Désarçonné il lâche son arme, tombe et fait le mort. Des cris de triomphe retentissent. Il se relève, court jusqu'à une flaque de boue miroitante, pétrit des boulettes et bombarde ses adversaires. Une petite fille touchée s'assoit par terre et se met à pleurer. Les autres enfants ripostent, des pierres et des mottes de terre volent autour du petit garçon rouge, ponctuées d'imitation aiguës d'explosions. Il se sauve sous une paillote, reparaît au bord de la rivière poursuivi par la meute joyeuse, escalade des pirogues et des radeaux de bambous camouflés sous des branches et va se réfugier dans un groupe de soldats Viet-Minh assis en cercle, le fusil entre les jambes. Ses poursuivants dépités se bousculent sur les pirogues, tombent à l'eau et s'aspergent en riant.

Un paysan avec une hotte sur l'épaule et un coupe-coupe à la ceinture s'approche des soldats qui ont recueilli le petit garçon rouge. Il s'arrête à quelques pas, fait une sorte de salut militaire français et présente un papier. Un des Viets se lève, examine le papier et a un geste négligent de la main. Le paysan traverse le village et s'engage sur la piste qui disparaît entre les arbres au pied de l'éperon.

Ba Kut tapote l'épaule de Willsdorff et murmure :

– Un type foutu le camp. Lui connaître...

Le doigt sur les lèvres, Willsdorff l'arrête. Ils

entendent vaguement le paysan parlementer avec une sentinelle viet et reprendre sa route.

– Vas-y.

Ba Kut se glisse silencieusement dans le ravin et disparaît vers la piste. Willsdorff reprend ses jumelles. Le petit garçon rouge a rejoint ses camarades et patauge avec eux. Les hommes se réunissent par petits groupes nonchalants, à l'ombre du grand arbre au tronc blanc. Quelques soldats viets, le fusil à la bretelle, vont de paillote en paillote pour faire sortir les femmes. D'autres déroulent des drapeaux et des banderoles couvertes de slogans. Les enfants intéressés quittent la rivière pour se rapprocher.

Une branche craque. Willsdorff se retourne furieux. Torrens arrive lentement en bouclant son ceinturon, l'air complètement vidé. Il hausse les épaules et s'affale dans l'herbe embuée de rosée, le dos appuyé contre un arbre et comprime son ventre à deux poings.

– Une vraie débâcle...

Le poids glacé de son treillis le fait frissonner. Il a une grimace amère.

– ... Il y a une heure qu'on se gèle. On y va maintenant : la charge de la brigade légère.

Willsdorff s'accroupit à côté de lui et chuchote :

– J'en ai compté que huit, mais il toit y en avoir te planqués. On peut pas se permettre te faire une connerie.

Torrens se tasse contre l'arbre, la tête dans les mains, répétant doucement, ironiquement :

– La charge de la brigade légère!

Il ne réagit pas quand Ba Kut et deux supplétifs se coulent sans bruit jusqu'à lui. Ils traînent derrière eux le paysan à la hotte qui grelotte comme une feuille de peuplier.

195

— Lui beaucoup la trouille. Porter le sel... Cadeaux Viet-Minh.

Willsdorff le réconforte d'un sourire et lui pose rapidement des questions en laotien.

Les yeux fermés, Torrens, indifférent, entend le chuchotement des deux hommes. Brusquement il s'écarte de l'arbre contre lequel il était appuyé et se frictionne le cou. Il secoue sa veste envahie par une colonne de fourmis en jurant doucement, puis se lève et prend ses jumelles.

Tous les villageois sont accroupis sous les banderoles et les drapeaux. Un homme en bleu de chauffe les harangue debout. Torrens le voit choisir un œuf dans un panier, le tendre à bout de bras dans son poing fermé, le briser et le jeter.

— Qu'est-ce qu'il peut bien fabriquer celui-là ?
— Quoi ?...

Willsdorff se lève, jette un coup d'œil rapide et se rassoit en faisant signe à Torrens.

— Ça c'est sûrement le commissaire!

Il étouffe un rire.

— J'ai te bons tuyaux. Quinze, quinze rombiers c'est tout. L'escorte t'un convoi te ravitaillement qui tescend la rivière. Tous les jours ils passent. Ils arrivent tans la nuit et se barrent l'après-midi quand le ciel est ouvert. A cause tes avions. Y a aussi une pirogue qui remonte vers un hôpital tans le nord...

Il se frotte la joue et sa barbe crisse.

— ... Aujourt'hui, on peut tire que c'est tu pot, le rombier-là tit qu'il y a un Viet important. Un commissaire politique je pense. T'avais raison hier soir. Ils n'ont pas pris beaucoup te précautions. Teux sentinelles.

Torrens se gratte le cou et chasse encore quelques fourmis sur le col de sa veste, ses lèvres décolorées esquissent un sourire et ses yeux brillent dans son visage parcheminé.

– O.K. On va placer deux F.M. ici pour faire un tir d'interdiction sur la sortie du village et on remontera la piste...

Willsdorff l'interrompt.

– Non, écoute... Tu vas voir.

Il se lève et reprend d'une voix très basse mais tendue d'excitation :

– Tu vois la ternière baraque là-bas, à teux, trois cent mètres, juste là-bas contre la forêt, à troite, tu vois, bon, le rombier tit qu'il y a cinq ou six Viets qui roupillent tetans. Bon! Maintenant écoute. Je file là-bas bloquer la sortie. En attentant tu tiens à l'œil la baraque que je t'ai tit. Et la teuxième sentinelle qui toit traîner un peu plus loin. Bon! Quand je suis bien installé...

Willsdorff dans un grand rire silencieux rapproche lentement ses deux mains largement ouvertes, mimant le ratissage du village pris dans un étau.

– ... Pas un n'en sortira! T'accord?

Torrens se gratte le cou et hésite. Willsdorff insiste.

– Laisse-moi faire, tu vas voir. J'ai l'habitute te ces machins-là... Autrement on bousillera les civils en pagaille.

– O.K...

Torrens a un ricanement sarcastique qui éclaire un peu son visage de malade.

– ... Dis donc, mon vieux, je croyais que tu voulais filer tout de suite sur les maquis méo?

Willsdorff cligne de l'œil, va jusqu'au ravin et envoie

Ty et trois hommes mettre un des F.M. en batterie sur l'éperon.

— Mollo, mollo hein! Le lieutenant t'expliquera.

Il choisit six supplétifs et s'enfonce silencieusement dans la jungle.

Torrens arrête Ba Kut qui suit avec le reste du commando et chuchote :

— Attends-moi en bas sur la piste. Vu! Ne bouge pas sans moi.

Il remonte ensuite sur l'éperon avec les deux guides, les fait coucher et s'approche de Ty qui cale tranquillement le fusil-mitrailleur sur la fourche d'un arbre à hauteur d'homme.

— Je le prends... j'étais champion de tir à Coët.

Ty s'écarte sans un mot. Torrens vérifie que la sûreté n'est pas mise, tire le levier d'armement tout doucement, pour ne pas faire de bruit, rabat l'œilleton, et règle la hausse à deux cent cinquante mètres. Un coq chante, Torrens relève l'épaulière, cale bien la crosse contre sa joue en prenant une position stable, les jambes écartées, le corps légèrement penché en avant, et braque l'arme sur la paillotte au fond du village.

Le commissaire en bleu de chauffe continue sa harangue avec de grands gestes...

— Ourra, Pobieta!

Une rafale de mitraillette part sous l'éperon. Les détonations décuplées par la montagne éclatent avec la puissance d'une canonnade. Hurlant des cris sauvages et tirant de courtes rafales en l'air, les hommes de Willsdorff déferlent sur la piste entre les paillotes. Pris de panique, les poulets, les cochons, les enfants, les femmes, les hommes, les Viets détalent, plongent dans l'ombre des pilotis, sautent dans la rivière. Les supplétifs déchaînés, ivres de cris et du fracas des armes, foncent droit devant dans une ruée barbare qui bouscule tout sur son passage.

Torrens se ronge l'ongle du pouce jusqu'au sang. Rien ne bouge dans la paillote au fond du village. La deuxième sentinelle affolée bondit des couverts et fait quelques pas sur la piste pour voir ce qu'il se passe. Torrens la prend dans sa ligne de mire et appuie sur la gâchette coup par coup. Une fois, deux fois. Au troisième coup, le Viet semble touché, il oscille et son pantalon lui tombe aux genoux. Au quatrième il s'effondre et boule désespérément vers l'abri des arbres. Torrens cesse de tirer. La horde de Willsdorff est presque arrivée. Trois supplétifs se détachent et grenadent la paillote qui disparaît dans la poussière. Les autres verrouillent la piste et achèvent la sentinelle d'une rafale. Willsdorff hurle victoire.

– Ourra Pobieta!

Un silence de mort fait place au tumulte. Même les cigales se sont tues. Le village semble désert. Le commissaire en bleu de chauffe est effondré au milieu des œufs, des drapeaux et des banderoles. Trois cadavres sont étendus à l'ombre de l'arbre. Une femme gigote dans une flaque de sang. Un petit poulet picore autour d'elle.

Torrens lâche le F.M.

– Ty, reste ici!

Il dévale le ravin, retrouve Ba Kut et lance le deuxième groupe excité. Les Viets n'ont pas le temps de se reprendre. Les supplétifs bondissent dans les paillotes, ouvrent les portes à coups de pied, tirent de courtes rafales en l'air en criant. De son côté Willsdorff laisse son F.M. en protection et retourne sa horde. Les hommes s'interpellent de paillote en paillote, en français, en laotien.

– Attention! Là-bas!

– Boumi! Boumi!

Un Viet caché derrière un pilotis tire un coup de fusil. Trois rafales de mitraillette l'abattent aussitôt. Deux autres tentent de se glisser dans la rivière. L'eau verte éclate en gerbes scintillantes et les deux corps vont échouer contre les pirogues. Un cochon blessé pousse des cris assourdissants et se traîne sur ses pattes de devant.

En moins d'une minute Torrens et Willsdorff font leur jonction au pied de l'arbre. Le village est complètement nettoyé. Il n'y a pas de perte. Les supplétifs victorieux furètent partout, récupèrent les armes, comptent les cadavres en riant. Torrens ruisselant de sueur boit à longues gorgées l'eau d'une touque. Willsdorff envoie Ba Kut détruire les pirogues, les radeaux et leur chargement. La femme blessée se met à geindre, le petit poulet qui n'a qu'une patte sautille comiquement autour d'elle. Le cochon tourne en rond, un chien jaune vient lécher les blessures de son arrière-train brisé qui laisse une trace sanglante dans la poussière. L'un après l'autre, les paysans sortent de leurs trous et se groupent en silence à l'ombre de l'arbre ; l'un d'eux, très vieux, va timidement s'accroupir au soleil près de la femme. Les enfants cramponnés à leur mère se sont réfugiés sous une paillote, loin des cadavres. Ils sursautent tous quand Ba Kut lâche quelques rafales dans le fond des pirogues pour les couler. Le petit garçon à la chemise rouge pleure. Willsdorff se dirige vers la femme blessée, une petite vieille au crâne rasé, chasse le chien jaune qui essaie de lapper la flaque de sang et parle au vieux paysan immobile. Les cris du cochon se perdent dans un gargouillement de pompe désamorcée et cessent brutalement : un homme vient de l'égorger. Trois ou quatre supplétifs encouragés par les hurlements de joie de leurs camarades pourchassent les poulets.

— Arrêtez immédiatement !

Torrens ne réussit pas à se faire entendre et tire deux coups de carabine en l'air. Les supplétifs le regardent étonnés.

— J'interdis qu'on touche aux poulets. Et à quoi que ce soit. Vu !... O.K. Le cirque est fini. Trois types pour aider Ba Kut, les autres : jetez les fusils viets dans la rivière après avoir retiré les culasses. Voilà ! Exécution !

Willsdorff revient vers Torrens et lui tend une petite boîte.

— La rombière, elle est foutue. Je leur ai tit te lui filer te l'opium pour la calmer. Je t'en ai piqué un peu pour toi.

Torrens ouvre la boîte qui contient une douzaine de boulettes brunâtres.

— Vas-y. Avales-en une. C'est tout préparé. Le vieux fume, il a eu peur que les Viets lui interdisent, alors il s'est fait des boulettes pour pas être nien.

Ba Kut triomphant pousse du canon de sa mitraillette un tout jeune soldat Viet-Minh blafard et trempé.

— Chef, lui foutu le camp la rivière. C'est tuer lui ?

— Non.

Torrens avale une des boulettes.

— Non, il aidera à porter les blessés.

Les jambes du prisonnier tremblent. Ba Kut le pousse brutalement vers l'arbre, il tombe suppliant, les genoux ramenés au menton, les deux mains en croix pour se protéger le visage. Willsdorff compte tranquillement les culasses des fusils en vrac à ses pieds.

– Quatorze. Il en manque un. Et combien te rombiers au tapis?

– Neuf ici, avec les deux sentinelles. Je ne sais pas combien dans la maison.

– Trois. Ça fait touze. Il nous manque trois rombiers. Ah non. Teux seulement, j'oubliais le prisonnier... Ils ont tû se barrer par la rivière au tébut. Putain! c'est un joli coup!

Torrens se gratte la nuque, une grosse rougeur est visible là où les fourmis l'ont mordu. Il prend un air modeste, laisse tomber un « oui » négligent et se met à rire.

Les supplétifs rangés sur la rive s'amusent comme des enfants à lancer les fusils le plus loin possible. Certains reculent de quelques pas et prennent leur élan comme des lanceurs de javelot. Un malin veut innover. Il tourne sur lui-même, de plus en plus vite, l'arme tenue à bout de bras par le canon, mais au moment de la lâcher il perd l'équilibre et glisse dans l'eau. L'hilarité est générale, les paysans silencieux eux-mêmes finissent par se dérider. Le petit garçon rouge, barbouillé de larmes, se rapproche pour mieux voir. Le dernier fusil coule dans la rivière après avoir glissé sur la surface.

Ba Kut laisse ses trois hommes balancer les sacs de riz par-dessus bord et achever de démanteler les radeaux au coupe-coupe.

– Ça va, casser tout. Moyen partir.

– O.K.

Torrens fait de grands signes à Ty sur l'éperon pour le faire venir.

– J'aurais quand même bien voulu savoir ce qu'il faisait celui-là.

Du menton il désigne le commissaire sanglant effondré sur son panier d'œufs brisés.

– Moi connaître, chef.

Ba Kut ramasse un œuf intact et le tient dans son poing fermé.

– Lui dire : Lao jaune. Pas bon faire camarade avec Français blancs. Faire camarade avec Viet-Minh, jaune, même chose. Lui dire : blanc toujours foutu le camp.

Il sourit légèrement et serre le poing. On entend craquer la coquille et le blanc d'œuf lui coule entre les doigts.

– Blanc foutu le camp.

Il ouvre la main et montre le creux de sa paume qui contient encore le jaune et des débris de la coquille.

– Jaune rester.

Il rit et tous les villageois qui s'étaient rapprochés en font autant.

– Lui dire comme ça.

Torrens amusé se gratte le cou, mais Willsdorff est resté très silencieux.

– Lui tire comme ça. Eh bien, écoute ce que je vais tire moi. Et tratuis-le à tous ces rombiers qui rigolent.

Il attrape le commissaire par les cheveux, lui trempe la figure dans la flaque de sang et le tire en arrière pour bien le montrer...

– Lui, il est rouge, le rouge reste...

Il lâche les cheveux et la tête retombe mollement dans les débris d'œufs.

– ... Il restera toujours ici, lui. Et tous ses camarates aussi. Toujours. Tratuis, et tis-leur te creuser tes tombes. Compris... Tans le village, hein, les tombes.

Ba Kut traduit et les paysans impressionnés rient timidement.

— Assez rigolé! Ba Kut, tu files tevant. Sur la piste. Arrête-toi tans dix minutes, on prendra la brousse. Ramasse les culasses. Tu les foutras en l'air un peu plus loin.

Torrens laisse s'éloigner les supplétifs et se tourne vers Willsdorff.

— Très joli ton numéro. Mais cette démonstration par les œufs c'est plutôt primaire, non? La preuve par l'œuf!

L'adjudant, calmé, rigole.

— Ne crois pas ça. Tu vois, en 46, les Lao Isarak, les rebelles, n'osaient pas nous tirer tessus, nous, les Blancs, les tieux blancs, les longs nez. Parce que les balles leur retournaient sur la gueule, ils pensaient. Tans les accrochages, c'étaient toujours nos Lao qui trinquaient. Tu vois les rombiers t'ici...

Il se baisse tout à coup en sifflant, entrouvre la poche du commissaire avec précaution pour ne pas se tacher les doigts dans le sang et retire un paquet de cigarettes chinoises à moitié plein.

— Hein! j'ai l'œil!

Il en offre une à Torrens et tire avec volupté une bouffée.

— Pas tégueulasse. On tirait te l'anglais. Ça rappelle les rations Pacific te 46... Tu vois, les Lao ils aiment les histoires merveilleuses, les signes tu testin, les images, les... les symboles. Ce sont tes poètes, quoi.

Torrens éclate de rire.

— Toi aussi tu es un poète... un poète tragique. Oui, tu donnerais plutôt dans le poème maudit.

Les paysans sont toujours accroupis en groupe silencieux à l'ombre de l'arbre, à côté des morts. La femme gémit doucement. Le vieillard attend immobile sans même chasser les mouches. Le chien jaune rôde autour des flaques de sang qui tournent déjà au noir sous le soleil.

Ty et son arrière-garde arrivent. Torrens et Willsdorff lui confient le prisonnier et se mettent en marche.

Sur la piste, à la sortie du village, ils enjambent le cadavre déculotté de la sentinelle.

— Manque te pot. Il était en train te chier, constate Willsdorff.

Torrens jette sa cigarette.

— Jolies petites fesses! Ça, ça ferait la joie de Perrin. Je parie qu'il aurait encore fait des comparaisons avec sa charcutière. Thérèse et son cul de braise.

Il ricane et ajoute :

— Tu vois, c'est le genre d'accident qui me guette... C'est vraiment ridicule de mourir comme ça. Les fesses à l'air!... Et toutes les mauvaises plaisanteries qu'on peut faire là-dessus.

Jeudi 30 avril 1953, 17 h 30.

– Alfa Kilo. Alfa Kilo de Lima Bravo. Parlez.

Perrin lâche le micro et passe sur écoute. Le haut-parleur reste silencieux. Ba Lu s'accoude sur la dynamo et chantonne une complainte qui se transforme dans sa bouche en une suite de gémissements discordants.

L'orage de la veille continue à se développer. Pendant la nuit les lourds nuages noirs se sont dissous lentement. A l'aube il ne restait d'eux qu'une vapeur fragile, rose pâle, dans un ciel frais. Mais avec le soleil ils sont revenus, massifs et blancs ; insensiblement ils se sont développés, gonflés, boursouflés comme un cancer monstrueux. Maintenant ils pèsent, épais et sales, sur la torpeur de la jungle.

L'odeur douceâtre de Naï My flotte dans la chaleur immobile. Isolé sur sa civière, il a repoussé sa toile de tente. Ses lèvres crayeuses s'ouvrent et se referment mécaniquement pour téter l'air. Le grouillement des mouches et des asticots donne une étrange vie frémissante aux lambeaux de pansements qui entourent son cadavre de jambe. Les supplétifs se sont éloignés le plus possible de lui, vautrés dans la pénombre des arbres, ils attendent sans impatience, heureux de ne rien faire. Willsdorff, torse nu, la nuque calée sur sa veste roulée en boule, mâchonne un brin d'herbe. Torrens plie et replie sans cesse le paquet vide des cigarettes chinoises. Le prisonnier accroupi, les mains liées dans le dos, attaché à un gros bambou, rêve le regard vague.

Le soleil qui brille dans une zone de ciel restée saine écrase la clairière d'une lumière accablante. Perrin essuie avec son avant-bras valide la sueur de son front, jette un coup d'œil désabusé sur le panneau de signalisation fait de sous-vêtements douteux, de pansements immaculés, disposés en croix dans l'herbe et appuie sur le levier qui enclenche l'émission.

— Ba Lu! Bon Dieu! Ferme ta gueule et pédale!

Ba Lu cesse de gémir sa complainte, se redresse et commence à appuyer mollement sur les manivelles de la dynamo.

— Chanter beaucoup joli. Toi pas connaître. Chanter : la rivière beaucoup content quand Pouh Sao venir laver. Chanter : robert Pouh Sao joli, joli même chose gros morceau de l'or...

— Des roberts en or. Non, mais t'es dingue! Pédale plus fort... Alfa Kilo. Alfa Kilo de Lima Bravo. Répondez, j'écoute.

Le haut-parleur reste silencieux. Perrin se penche pour vérifier les cadrans du poste. Un faux mouvement le fait grimacer de douleur et porter la main à sa blessure en grognant. Il accroche le regard du prisonnier.

– Qu'est-ce qu'il me veut cet enviandé!
Furieux, il se lève et va se planter devant lui.
– Tu veux ma photo?
Le Viet accroupi baisse la tête et a un léger mouvement de retrait qui l'adosse au bambou. Perrin sourit. Satisfait il se retourne avec le dédain du matador pour le taureau dompté, recule pour être tout contre le prisonnier et brusquement lui lâche un pet bruyant en pleine figure.
– Tiens, Chinois, fume, c'est du belge.
Les supplétifs témoins de la scène se tapent les cuisses de joie. Willsdorff a soulevé son chapeau de brousse, un grand rire secoue son ventre. Le Viet reste impassible, ses liens se tendent et lentement un sourire glacé lui monte aux lèvres. Torrens essaie de reprendre son sérieux.
– Continue donc tes appels à Telpierre au lieu de faire l'idiot.
– C'est pas Telpierre, mon lieutenant. C'est Delpierre son nom. Vous parlez comme l'adjudant maintenant.
Il retourne tranquillement s'asseoir devant son poste, fait signe à Ba Lu et ramasse le micro.
– Alfa Kilo. Alfa Kilo. Alfa Kilo de Lima Bravo. Répondez. J'écoute.
Ba Kut et les deux guides sont réunis autour d'une pipe à eau. Willsdorff les rejoint en entraînant Torrens. L'eau gargouille et la fumée grise danse dans les rayons de soleil filtrant à travers la voûte des arbres.
– Alfa Kilo. Alfa Kilo de Lima Bravo. J'écoute. Le haut-parleur crachote faiblement.
– Lima Bravo. Lima Bravo de Alfa Kilo. 2 sur 5. Je compte pour réglage. Un. Deux. Trois...

– Je l'ai mon lieutenant !

Perrin tripote légèrement les boutons et l'audition devient très bonne.

– ... Huit, neuf, dix. Lima Bravo à vous.

– Alfa Kilo. Cinq cinq. A vous.

– Lima Bravo. Je suis à la verticale de Tao Tsaï. Route au nord. Guidez-moi. A vous.

Torrens a déplié sa carte, l'a orientée et posé sa boussole sur Tao Tsaï. Le relevé topographique du nord du Laos n'a jamais été complètement réalisé et seules les rivières, les grandes vallées et les lignes de crêtes importantes sont esquissées.

– En gros on est par là. O.K. 30 degrés à droite. A l'ouest. Perrin dis-lui : route au 350.

– Alfa Kilo. Route au 350. A vous.

Le haut-parleur grésille. Des sifflements, des phrases tronquées, incompréhensibles, brouillent la réponse de Delpierre. Perrin écume.

– Merde, il y a un autre con qui discute sur la fréquence. J' sais pas si y nous a reçus. Vas-y en danseuse, tête de lard.

Ba Lu se met debout, comme un coureur cycliste grimpant un col, pour appuyer avec plus de force sur ses manivelles. Le grincement de la dynamo devient aigu.

– Alfa Kilo. Route au 350. Route au 350. Route au 350. A vous.

Ba Lu s'arrête essoufflé. Un lambeau de réponse émerge du brouillage.

– ... Bravo... Compris. Route...

– Silence ! Écoutez !

Perrin baisse la puissance du récepteur. Un léger ronronnement vibre dans l'air chaud, s'estompe jusqu'à être inaudible et reprend soudain plus fort. Tous les supplétifs se sont relevés et guettent le ciel. Torrens se gratte le cou. Une petite cloque saigne sous ses doigts et tache le col de sa veste.

– Le voilà!

Dans une trouée de la forêt au bout de la clairière, le petit avion, loin au-delà des crêtes qui barrent l'horizon, glisse sur le fond sombre des nuages et étincelle au soleil.

D'un coup de pouce Perrin enclenche l'émission.

– Ba Lu!

Le grincement aigu de la dynamo couvre le bruit du moteur.

– Alfa Kilo. Delpierre. A droite. 90 degrés à droite. A droite. J'écoute.

Ba Lu haletant s'assoit et s'éponge à un pan de sa veste. Le haut-parleur déverse ses sifflements et ses craquements.

– Lima Brav... Compris... repéré... lisière village. A vous.

L'avion amorce un large virage et perd de l'altitude. Il cesse d'étinceler en rentrant dans une zone d'ombre et disparaît derrière les arbres. Quand il reparaît, il est beaucoup plus proche mais plus du tout dans la bonne direction. Torrens se ronge l'ongle du pouce. Perrin, debout près du poste, sa main valide en visière pour s'abriter du soleil, marmonne :

– Qu'est-ce qu'il branle encore?

Willsdorff crie :

– Appelle! Vite! Il est en train te se gourer.

Puis il ramasse sa veste, fouille rapidement dans toutes les poches et sort le miroir de Roudier. L'avion longe la ligne de crête. Un petit paquet noir se détache de lui et aussitôt la corolle blanche d'un parachute se déploie. Un hurlement de rage monte dans la clairière. Deux supplétifs brandissent le poing. Ba Lu appuie comme un forcené sur ses manivelles. Le trépied de la dynamo vibre. Perrin hurle dans le micro.

– Alfa Kilo. Vous êtes fou, bon Dieu! Vous larguez chez les Viets. On est à votre gauche. A votre gauche... Merde y tourne maintenant ce con...

Le Beaver de Delpierre a repris un peu d'altitude et bascule pour effectuer un demi-tour serré. Son aile étincelle. Le parachute descend doucement et disparaît derrière la crête.

Willsdorff d'un doigt tendu à bout de bras suit les déplacements de l'avion. De son autre main il tient le miroir juste sous son œil et captant les rayons du soleil les réfléchit sur le doigt tendu. Dans ces conditions les éclats de lumière qui le touchent atteignent forcément l'avion et sont visibles au pilote.

Le haut-parleur ne donne aucune réponse intelligible. Perrin trempé de sueur reprend d'une voix normale.

– Alfa Kilo. Cessez le largage. Nous sommes à droite. Je répète. A droite. A vous.

Le Beaver poursuit un moment sa route, plonge derrière la crête, à peu près là où a disparu le parachute et remonte. Le grondement du moteur lancé à pleine puissance pour la ressource et quelques détonations, comme des ratés, se font entendre avec un léger retard.

Perrin découragé jette le micro.

– Ça, y peut faire le cirque. Y s'en fout lui. Ce soir : Louang Prabang, p't'être même Hanoï. Le page, la pépée, la boîte de bière de France. Une Kronenbourg bien glacée. Avec de la buée dessus...

Il fait un bras d'honneur et ramasse le micro.

– ... Et zrac! Un bon p'tit coup dans la culotte. Les vaches!

Willsdorff envoie toujours ses signaux lumineux. L'avion semble hésiter et met le cap sur la clairière.

– Il nous a vus.

Les derniers supplétifs quittent l'ombre de la lisière et courent au soleil en agitant les bras. L'avion tourne au-dessus d'eux à une altitude prudente, pique et fait un passage rugissant à 240 kilomètres heures quelques mètres à peine au-dessus de la cime des arbres. La portière de gauche a été enlevée. Le dispatcher, un parachutiste à béret rouge cramponné au montant, fait de grands gestes.

La voix de Delpierre se détache assez nettement du brouillage :

– Lima Bravo. Je vous reçois très mal. On a largué sur une rizière marquée d'une croix. On s'est fait tirer dessus. Attention, je ne ferai qu'un seul passage pour aller plus vite. Ne traînez pas, ça grouille dans le coin.

Torrens prend le micro à Perrin.

– O.K. Delpierre. O.K. Bien reçu. Allez-y et merci. Terminé.

Le Beaver revient moteur réduit. Deux colis sont visibles dans le trou noir de la portière. Ils basculent. Les sangles d'ouverture automatique se tendent et dans un déchirement de soie, les deux parachutes s'ouvrent. Le dispatcher se penche pour suivre leur chute, fait encore un geste de la main et l'avion disparaît derrière les arbres. Les supplétifs, le nez en l'air, se précipitent à la rencontre des caisses qui descendent en se balançant mollement.

– Nixt pagaille. Bon Tieu! Tix rombiers par colis.

Ba Kut, faut ramasser les toiles, rien laisser traîner hein! On planquera ça tans la forêt. Et en vitesse, y a pas intérêt à glanter.

Le premier parachute s'est étalé à quelques mètres de la croix, l'autre dérive un peu et s'accroche dans les branches d'un grand banyan. Les caisses restent suspendues à cinq mètres du sol. Ty et deux hommes grimpent dans l'arbre pour essayer de les détacher.

Le Beaver revient encore une fois. Le dispatcher lâche un petit paquet blanc, prolongé par une sorte de ruban, qui vient se ficher dans un buisson d'épineux. Ba Lu le rapporte à l'adjudant. C'est un message, lesté d'une clef anglaise, ficelé par un bas de femme en nylon, Delpierre l'a rédigé hâtivement sur une fiche météo.

« Mon vieux Wills.

« Ces fumiers ont essayé de nous avoir. Je leur ai balancé tes médicaments. Désolé. En cas de brouillage, la prochaine fois, passe sur le channel de dégagement. 4400 kc. Je reviens dans quatre jours. Remontant de T.T vers P. Saly pour vous chercher. Filez vite. Ils ont beaucoup de monde dans la vallée à côté. Bonne chance et merde. Delpierre. »

Torrens gratte sa petite cloque saignante.

– Heureusement, on a les vivres et les munitions. Doit y avoir des cigarettes aussi.

Willsdorff grogne un vague acquiescement.

– Il a raison. Faut se grouiller te foutre le camp... parce que...

Il montre le parachute dans l'arbre, éblouissant de blancheur au soleil. Ty a réussi à faire tomber les caisses en coupant les sangles mais les suspentes et la voilure restent bien accrochées.

– ... Comme repère on fait pas mieux.

– Merde alors, il est parfumé.

Perrin s'est mis le bas autour du cou. Il le tend à Torrens pour le lui faire sentir.

– Vrai, mon lieutenant, ça sent bon la pépée de luxe.

– Témonte ton poste au lieu de téconner. Tépêche-toi. Tu tonneras ta charge au prisonnier.

– J' peux encore porter mon adjudant.

– Non. Y a pas te médicaments. Je ne tiens pas à ce que ta blessure s'abîme. Compris !

Willsdorff a parlé d'un ton tranchant et tendu. Il plie le message et le met dans sa poche sans quitter des yeux les efforts de Ty pour décrocher le parachute.

– Tu y arrives Ty ?

– Peut-être, chef... beaucoup difficile.

Willsdorff préoccupé observe un moment la crête en frottant les poils luisants de sa poitrine et prend soudain une décision.

– Allez hop ! Laisse tomber ! Fini. Terminé. Tescends.

Les supplétifs s'affairent joyeusement autour des caisses ouvertes. Ba Kut sort avec précaution une bouteille de Pernod cassée dont les morceaux restent collés par la vignette publicitaire. Il l'examine en transparence et pousse un soupir de soulagement.

– Encore Pernod. Ça va. Pas tout foutu le camp.

Willsdorff prend la bouteille et la dépose dans l'herbe en faisant bien attention de ne rien répandre du précieux liquide qu'elle contient encore...

C'est le bortel, Ba Kut, le bortel. Range-moi tous ces rombiers en colonne. Vite.

Il évalue approximativement le contenu des caisses. Trois d'entre elles sont remplies de munitions : grenades, cartouches de P.M., de fusils, de F.M. Les trois autres de boîtes de rations.

– Bon. Toi...

Il attrape le premier supplétif de la colonne par le col de son treillis et le place derrière les caisses de vivre.

– ...Teux boîtes par rombier. Tu tonnes à chacun. Compris ?

Il n'attend pas de réponse et appelle d'une voix forte :

– Ty, Ty. Aux munitions.

Le métis accourt encore couvert de débris d'écorce.

– Bon. Alors... heu ! Teux grenates. Et pour les cartouches... Y a qu'à tonner quatre paquets par P.M., teux par fusil. Les caporaux sont responsables tes F.M. Quatre paquets aussi. Bon. Allez vite. Je ne veux pas qu'on traîne ici... les cinq premiers tu les envoies remplacer les sentinelles.

Willsdorff regarde la distribution commencer et se détend un peu. Il débouche son bidon, le remplit avec ce qui reste dans le culot de la bouteille et le secoue un peu pour bien mélanger l'alcool et l'eau.

– Sacré Telpierre ! Tiens, mon lieutenant, à toi l'honneur.

Torrens a ouvert une boîte de ration pour récupérer les gauloises. Il en allume une avec gourmandise, prend le bidon tendu et donne le paquet à l'adjudant.

– Ma parole, c'est Byzance !

– Oui, comme tu tis. Seulement on avait temandé tes rations te survie et, bien sûr, ils nous ont refilé tes normales. On pourra jamais tout prendre. C'est beaucoup trop lourd. Teux boîtes, teux jours au maximum.

Torrens hausse les épaules, s'essuie la bouche d'un revers de main et rend le bidon.

– C'est drôlement bon. Qu'est-ce que tu veux, mon vieux, on en laissera.

Perrin s'est approché, l'air avide. Sans sourciller il fauche deux cigarettes dans le paquet, en allume une et aspire une grande bouffée qu'il garde longtemps avant de l'exhaler par le nez. Il allume ensuite l'autre cigarette à la braise de la première, la lance à Ba Lu et s'accroupit pour examiner les débris de la bouteille.

– Les vaches, y z'ont buté Gégène! Il en restait encore pas mal, mon adjudant?

Willsdorff ricane, boit encore une gorgée et tend le bidon à Ba Kut.

– Vas-y. Laisse-z'en un peu pour Ty... et pour cet ivrogne.

Soudain avec des hurlements de joie une dizaine de supplétifs abandonnent leurs rangs et se précipitent aux trousses d'un poulet qui zigzague sur une patte en battant des ailes et en caquetant furieusement. Les supplétifs excités laissent tomber leurs rations, piétinent les sous-vêtements et les pansements de la croix de signalisation en essayant de le cerner et plongent comme des gardiens de but pour l'attraper. Willsdorff se lève d'un bond.

– Arrêtez! Vous êtes fous! Arrêtez!...

Surpris et penauds, les hommes ramassent leurs rations et regagnent leurs places.

– ... Mais vous êtes complètement cons. Enfin merte! Les Viets sont là derrière et vous courez après un poulet. T'où il sort t'abord, ce poulet?

Inquiet, le propriétaire, un jeune garçon à l'œil vif et au visage grêlé de petite vérole, fait un pas en avant et se met au garde-à-vous.

217

– Ah! c'est toi Xoung. J'aurais tû m'en touter. Alors?

Mal à l'aise Xoung hésite un instant et entrouvre sa veste.

– Prendre village. Lui content dormir là. Après lui foutu le camp.

– Je croyais que le lieutenant avait intertit te prentre les poulets.

– Lui c'est prendre avant lieutenant dire.

N'étant plus poursuivi, le poulet, d'humeur sociable, vient picorer aux pieds de Torrens.

Willsdorff ricane.

– Tu m'étonnes! Avec une patte seulement, ça n'a pas tû être tifficile. Allez. Fous-moi le camp. Ty! Tu lui files teux paquets te cartouches en plus. Pour lui apprentre à aimer le poulet.

Torrens allume encore une cigarette à son mégot avant de le jeter et s'étire en bâillant.

– C'est celui qui sautillait autour de la bonne femme, la blessée. Je me demande... Sa patte, il a dû la laisser dans la gueule d'un chien, ou alors c'est de naissance, une malformation. Pauvre petite bête.

Willsdorff harcèle les supplétifs.

– Allez, allez, ça traîne. Ramassez les pansements et vos liquettes.

Torrens lance des brindilles au poulet affolé et annonce sentencieux :

– La poule est l'animal le plus bête du monde. Elle ne sait compter que jusqu'à deux.

L'adjudant part d'un gros rire.

– Ça va pas? C'est le soleil et le Pernod.

– Non, c'est vrai mon vieux. Authentique. J'ai appris ça en sciences nat. ou en philo. Le type alignait des grains de blé sur une planche. Un savant, pas Pavlov mais un autre du même genre. La poule picorait. Le type colle un grain de blé sur deux. Au bout d'un certain temps la poule a compris, elle saute un grain sur deux. Le type colle deux grains, en laisse un de libre, colle deux grains et ainsi de suite. Tu vois ? O.K. C'est plus long mais la poule finit par ne prendre que le grain libre. Après il a essayé avec trois grains collés. Alors là, c'est fini. La poule ne comprend plus rien, elle picore au hasard. C.Q.F.D. Incapable de compter jusqu'à trois, les poules sont idiotes.

La distribution est terminée. Willsdorff n'a pas écouté la fin de la démonstration de Torrens. Il ramasse les quelques paquets de cartouches qui restent dans la dernière caisse et les lance aux supplétifs autour de lui.

– Ba Kut ! Tonne quatre boîtes te ration aux guites et file avec eux en tête. Vite !

– Oui, chef. C'est pas ramasser bordel, là, partout ?

– On n'a pas le temps. Et ça servirait à quoi ? Avec ce putain te parachute pentu... Allez file.

Perrin harnache le prisonnier tout en surveillant du coin de l'œil le bidon que Ty tient à la main, trop occupé pour boire. Quand la colonne s'ébranle, il se plante devant le métis.

– T'endors pas eh ! Machin.

Il lui laisse à peine avaler une gorgée, agrippe le bidon, boit longuement et s'arrête pour reprendre son souffle, l'air béat.

– Putain !... Si on avait encore le frigo à la mère de Lattre.

Il secoue le bidon près de son oreille pour jauger ce

qui reste, le tend à Ba Lu et pousse le prisonnier derrière les huit porteurs de civières.

– En avant la musique et en arrière les gamins.

La puanteur sucrée de Naï My se mêle un instant à l'odeur d'anis de la bouteille cassée. Torrens ramasse sa carabine en chantonnant un cantique :

– Debout sainte cohorte. – Soldats du Roi des Rois. – Tenez d'une main forte. – L'étendard de la Croix. – Si l'ennemi... C'est dommage de leur laisser ça, non ?

Willsdorff cligne de l'œil et fait sauter une grenade dans sa main.

– T'inquiète pas. Mais tépêche-toi. On va finir par les avoir au cul.

– O.K., O.K... Si l'ennemi fait rage. – Redoublez de courage. – S'il redouble la, la, la... Tu sais que ton opium, formidable, hein ! Mon vieux, je n'ai pas été une seule fois. Et puis ce petit Pernod dans la gidouille ! Je me sens drôlement bien... Nous vaincrons parce que nous sommes les plus forts. En avant.

L'ombre des arbres s'allonge dans la clairière. Willsdorff piège les caisses de vivres et la voilure du parachute étalé. Il part avec Ty et les supplétifs de l'arrière-garde. Le poulet, sautillant sur son unique patte, les suit pendant quelque temps en caquetant doucement, puis, ayant sans doute trouvé un ver ou quelques graines, il reste à picorer tout seul sous le ciel lourd où les grands oiseaux noirs tournent inlassablement.

Plus tard une sourde explosion retentit derrière la colonne qui progresse dans la jungle. Torrens se tourne vers l'adjudant.

– J'ai l'impression que ton poulet vient d'éventer les pièges.

– Non.

– Quand même, c'est pas les Viets, déjà!

– Non. Enfin si. Mortier. Te la crête. Ils ont tû repérer le parachute. Tiens, écoute!

La détonation étouffée, à peine audible, d'un départ de mortier est suivie, à quelques secondes, du fracas d'une nouvelle explosion.

Torrens se gratte le cou.

– Pauvre petit poulet!

Lundi 4 mai 1953, 13 h 00.

Les vingt survivants de la 317ᵉ section locale supplétive, avec leurs blessés, avec leurs deux guides, avec leur prisonnier, gravissent péniblement le dernier contrefort de la grande chaîne des partisans méo.

L'herbe à éléphants a remplacé la forêt. Une herbe sèche, mate, haute de deux mètres, large de trois doigts qui ondule avec un éclat métallique sous la lumière aveuglante du ciel. La colonne creuse son sillage dans le grand silence de la montagne assommée par la chaleur. L'herbe froissée crisse comme un papier d'aluminium. Les voltigeurs abrutis de fatigue s'arrêtent à chaque instant et restent debout sur leurs jambes flageolantes dont on voit trembler les muscles sous l'étoffe du treillis collé par la transpiration, boivent quelques gorgées de l'eau chaude de leur bidon pour faire passer une pastille de sel, repartent et s'arrêtent encore, sans jamais s'asseoir de peur de n'avoir pas le courage de se relever. Certains d'entre eux, le regard perdu, la bouche ouverte cernée de mousse blanche, se soutiennent, un bras passé sur la nuque d'un camarade, et leur tête ballotte à chaque pas. Les quatre porteurs de l'unique civière peinent à une allure désespérément lente, courbés sous leur carcan de bambous. La bosse des sacs accentue encore leurs silhouettes cassées, écrasées. Soy, le dernier blessé grave, enfoui sous sa toile de tente, oscille à toutes les secousses de leur marche saccadée avec la mollesse d'un corps sans vie. Perrin décomposé par la fièvre suit en s'aidant d'un bâton. Son bras en écharpe est maintenu sur la poitrine par le bas de nylon. Sa blessure s'est envenimée sous le pansement et de gros furoncles gris à bord violet suintent dans les poils emmêlés de sa barbe. Une sueur âcre lui coule dans les yeux et le fait larmoyer.

Arrivés sur la crête, les porteurs s'arrêtent, déposent la civière et, écartant les toiles d'araignées, se glissent en rampant sous les herbes pour chercher un peu de fraîcheur. Torrens ne proteste pas, il reste un moment debout, indécis, voûté, fripé, racorni comme une vieille paysanne. Devant lui la croupe très ronde se prolonge en pente douce vers le nord, épaulant la montagne dont la ligne bleue tremble dans la chaleur. Une grosse butte barre encore la crête mais la tranchée taillée dans l'herbe par Willsdorff et Ba Kut la contourne.

Torrens a une courte nausée qui le casse en deux et fait briller son regard. Il s'assoit, débouche son bidon, se rince la bouche et boit longuement en fermant les yeux. Quand il les ouvre de nouveau, le soleil blanc dans le ciel blanc le fait cligner des paupières. Les derniers supplétifs haletants s'agrippent aux longues tiges des herbes pour se déhaler dans leur ascension et s'affalent près de leurs camarades avec des gémissements satisfaits, tournant le dos à un paysage sans ombre, sans couleur, beau comme un lavis chinois, immense. Le moutonnement sombre de la jungle, rongée çà et là par la lèpre des raïs, s'estompe de colline en vallée jusqu'aux calcaires presque translucides dont seul le dessin torturé des crêtes reste distinct. Un fleuve de brouillard tout en courbes molles, qui n'arrive pas à s'élever dans l'air chaud, se résorbe en écharpe flottante au-dessus du lit sinueux de la rivière; et des collines englouties émergent lentement comme des îles de légende.

Torrens palpe la plaie à vif qu'il porte au cou. Le col de sa veste l'irrite à chaque pas et empêche une croûte de se former. Il regarde avec dégoût le pus qu'il a sur les doigts, cherche où il pourrait bien s'essuyer et finit par utiliser le bas de son pantalon. Il se lève en s'aidant de la carabine. Son treillis n'a plus la netteté qu'il avait su lui conserver longtemps malgré la pluie, la boue, le sang des blessés, le passage des rivières et les ronces de la jungle. Avachi, sale, malodorant, devenu trop grand, il pend comme une loque autour de son corps dégingandé.

Torrens remonte la piste, longeant les hommes vautrés sous les herbes. Du canon de sa carabine il en secoue quatre, les plus valides, et, quand il rencontre leurs regards, du menton leur désigne la civière de Soy.

L'un après l'autre les supplétifs se lèvent et se remettent à marcher dans l'éblouissante chaleur blanche. Leur halte les a ankylosés et leurs premiers pas sont incertains. Le prisonnier vide le bidon de fortune qu'il s'est taillé dans un bambou creux et s'en débarrasse avant de reprendre le poste radio et la musette de boîte-chargeurs F.M.

Une brise tiède descend de la montagne et fait frémir

l'herbe. Elle caresse les visages et entraîne l'odeur un peu fauve de la sueur et de la crasse. En fin de colonne, Perrin, qui traîne avec les deux blessés légers, essaye de rire.

— Les vaches! ça cogne. Y a de la vitamine dans l'air.

Mais sa voix est triste et sa plaisanterie reste sans écho. Seul Ba Lu, son complice, esquisse un sourire.

Huit cents mètres plus loin Willsdorff attend. La croupe avance devant lui comme un promontoire. A droite et à gauche, en contre-bas, deux langues de jungle viennent en lécher les flancs. En face, une partie de la piste qu'il a ouverte lui est masquée par la butte qui barre la crête.

Quand il voit enfin apparaître entre les herbes les premières têtes et luire les canons des armes, il se redresse. Il contemple un instant l'avance cahotante de la colonne que l'éloignement ralentit encore, se retourne et donne un léger coup de pied dans les fesses de Ba Kut. Ba Kut se lève sans un regard derrière lui, cale d'un coup d'épaule son sac sur son dos, ramasse sa mitraillette, passe la courroie autour de son cou et les deux hommes reprennent leur montée.

Deux minutes plus tard, une rafale déchirante troue le silence. Willsdorff et Ba Kut se retournent stupéfaits. Alors tout se passe très vite sous leurs yeux.

La colonne est arrêtée, immobile, sur la piste.

Derrière elle, sur la butte, l'herbe bouge, des petites silhouettes noires apparaissent, les rafales claquent nombreuses.

Les supplétifs se dispersent, tombent ou se couchent. Ils n'ont pas encore riposté mais très peu restent visibles.

226

Un chapelet de grenades V.B. explose sur la tête de la colonne. Le phosphore jaillit en gerbe blanche. Avec un léger retard, le fracas et l'onde de choc ébranlent l'air chaud.

Les supplétifs éparpillés déclenchent un tir indécis.

L'herbe brûle aux points d'impact des grenades.

La densité du tir augmente : giclées haletantes des M.A.T. 49 dominées par le martèlement de la mitrailleuse viet.

L'herbe brûle et la brise tiède attise le feu. Une muraille de flammes orange barre la croupe. Les supplétifs cloués au sol ne peuvent bouger. Trois d'entre eux foncent malgré tout et déboulent la pente vers la jungle protectrice.

Des volutes de fumée noire tourbillonnantes cachent la crête, le crépitement du combat est de plus en plus violent, c'est presque un roulement continu.

La montagne brûle. Le feston des flammes avance, inexorablement poussé par la brise, refoulant les supplétifs vers la butte occupée par les Viets.

Willsdorff et Ba Kut dévalent leur piste. Ils sont arrêtés par le mur de feu.

Au-delà, des cris, des appels.

Des volées de balles froissent l'herbe avant de s'écraser au sol. Quelques-unes ricochent et passent en miaulant.

La chaleur dessèche les tiges qui s'embrasent d'un seul coup comme des torches.

Soudain le hurlement d'un homme en train de brûler.

Willsdorff rouge, ruisselant, hermétique, longe les flammes, avance, recule, crispé sur sa mitraillette.

Dans un tourbillon de fumée deux ombres bondissent

du brasier et se roulent par terre : un supplétif et Ty portant le corps de Torrens. Ils ont les sourcils brûlés, les cheveux brûlés, leurs treillis fument, ils pleurent et se tordent dans l'herbe, la bouche ouverte, le souffle rauque. Torrens, les yeux fermés, d'une pâleur exsangue, poudré de cendre, est inerte. Régulièrement un flot de sang sourd par saccades de sa cuisse à travers les débris de son pantalon. Willsdorff lui fait un garrot et le claque plusieurs fois pour le ranimer. La tête roule. La marque rose des doigts reste visible sur la peau grise des joues.

Toujours le hurlement. Si long, si strident, qu'à chaque instant on veut croire qu'il a atteint son paroxysme, qu'il va enfin cesser.

Ty boit bruyamment un peu d'eau de son bidon, aspirant entre chaque gorgée l'air surchauffé. La moitié de son treillis est inondé du sang de Torrens, des coulées rutilantes recouvrent les plaques brunes craquelées par le feu. Il essuie ses yeux sans cils.

— Chef, pas... mort ?... C'est pas connaître... lui tomber... Pas... moyen foutu... le camp. Viet-Minh tir... tirer partout. Le feu. Moi... jeter bordel... jeter fusil... jeter grenade...

Là-bas la mitrailleuse continue à tirer. De longues rafales. Quelques mitraillettes répliquent encore.

— Camarades... bientôt tous... morts.

Toujours le hurlement.

Des grenades sautent, sans doute atteintes par l'incendie. Le hurlement cesse, coupé net par une dernière explosion. Il n'y a plus de tir de mitraillette.

Et puis le silence. Le ronflement des flammes et le silence.

Willsdorff se passe les deux mains sur le visage et les frotte sur sa poitrine pour les essuyer.

– C'est fini. Le feu a tû atteindre leur position, la colline. Les forcer à foutre le camp. Bon...

Une bouffée de brise tiède chargée d'un parfum de fleurs sauvages ranime quelques flammes.

– ... Putain! Il fait chaud.

Ba Kut piétine les herbes pour éviter que le feu ne remonte. Un peu de sang suinte de la cuisse de Torrens. Willsdorff s'accroupit, déchire le pantalon pour voir la blessure et la comprime avec son dernier pansement individuel. Torrens ouvre les yeux. Le visage est toujours mortellement gris, mais le regard humide est lucide. Il bouge un peu pour se dégager de sa carabine qui, restée accrochée par la bretelle, lui entre dans les côtes. Il secoue la tête quand Willsdorff lui demande :

– Vous avez mal?

Le feu est presque partout tombé. Les flammes n'ont brûlé que la partie la plus sèche des herbes laissant dressée sur un tapis de cendre une forêt de tiges noires et décharnées. Dissimulés par ces taillis, les corps dispersés des supplétifs n'ayant pas été touchés par les premières rafales sont trahis par la petite fumée blanche des braises qui rongent leurs paquetages. Le sommet de la butte occupée par les Viets flambe encore. Sur la piste qui la contourne, dont on devine à peine le tracé, cinq cadavres tordus fument. Près de Ba Lu, Perrin, blanc et nu, boursouflé, serre le tronc d'un arbuste de ses doigts pelés. Des lambeaux de treillis roussis adhèrent à sa ceinture. Soy brûle sur les débris calcinés de la civière de bambous. Plus loin, au pied de la butte, le prisonnier, la tête enfouie dans la cendre, rampe, traînant sa musette de boîte-chargeurs éclatés par la chaleur vers deux masses sombres recroquevillées derrière un F.M. en batterie.

229

— C'est dégueulasse... murmure Torrens.

Willsdorff fermé, massif, immobile, les bras ballants, répond d'un ton glacial :

— Qu'est-ce que ça veut tire : tégueulasse... c'est la guerre. Ils savent la faire, les fumiers. Ils nous ont laissés traîner sous leur nez, comme ça, sans mouffeter. Putain ! Jusqu'à ce qu'on soit bien placés. Avec le vent tans la gueule. Chapeau !

La voix s'est cassée, a pris une résonance terne. Il se retourne lourdement et tend sa mitraillette à Ty.

— Tu crois que tu pourras te cramponner à mon cou ? Parce que, faut pas glanter, ils vont revenir atmirer leur boulot...

Torrens secoue la tête. Willsdorff s'est accroupi près de lui.

— On va piquer troit sur la jungle. Là, en bas, on sera camouflé. On trouvera bien tes bambous pour te faire une civière.

Torrens secoue la tête.

— Non, Willsdorff, non. Va-t'en. Donne ma carabine à Ty et va-t'en...

Il ferme les paupières un instant et ajoute :

— Je m'en fous tu sais... je suis fatigué.

Willsdorf, inexpressif, épais, le regarde. Torrens, gêné, tente un sourire qui accentue les plis aux commissures de ses lèvres mais n'atteint pas les yeux.

— Rendez-vous à l'armée de la République Démocratique...

Le ton de sa voix change et il reprend vite :

— ... Va-t'en, ils vont revenir, va-t'en. File-moi une cigarette et va-t'en.

Willsdorff n'a plus de cigarettes. Le supplétif qui a réussi à s'échapper du feu avec Ty fouille dans sa poche et tend un paquet. L'adjudant en sort une, la glisse entre les lèvres du sous-lieutenant et l'allume. Puis il se lève, reprend sa mitraillette, hésite encore un peu.

– Atieu, mon lieutenant.

Il s'éloigne avec Ba Kut. Avant de les suivre, Ty dépose furtivement le paquet de gauloises du supplétif et ramasse la carabine. Torrens tire rapidement sur sa cigarette et appelle angoissé :

– Willsdorff !

L'adjudant remonte en courant.

– Willsdorff, s'ils ne reviennent pas, j'ai... cette nuit, les bêtes, j'ai peur des bêtes.

Willsdorff décroche de sa poche une de ses grenades quadrillées et la pose dans la main de Torrens.

Puis il fait demi-tour, rattrape les trois Laotiens et dévale la pente dans l'herbe haute.

Quand ils entendirent l'explosion et, tout de suite après, une rafale brève et quelques coups de feu isolés, Willsdorff, Ba Kut, Ty et le supplétif étaient déjà presque arrivés sous la protection de la jungle. Ils s'arrêtèrent mais ne purent rien voir.

De grands oiseaux noirs tournaient inlassablement dans le ciel blanc sans jamais donner un coup d'aile.

Le mercredi 7 décembre 1960, à 5 h 40 du matin, l'adjudant-chef Willsdorff était blessé grièvement au cours d'un accrochage avec une bande H.L.L. [1] près de Geryville dans le djebel Amour (Algérie).

Il est mort le même jour à 6 heures de l'après-midi.

1. H.L.L. : hors la loi. Nom donné par les militaires aux combattants du F.L.N. avant le 19 mars 1962, date du cessez-le-feu.

Table des matières

Cet ouvrage a été réalisé par

FIRMIN DIDOT
GROUPE CPI

Mesnil-sur-l'Estrée

pour le compte des Éditions Robert Laffont
24, avenue Marceau, 75008 Paris
en avril 2004

Imprimé en France
Dépôt légal : février 1992
N° d'édition : 44848/01 – N° d'impression : 67780